DU MÊME AUTEUR

CHEZ LE MÊME ÉDITEUR

La Santé sans médicaments.
Tumeurs et Cancers.
Le Jeûne.
Petit Manuel de Santé. (Épuisé.)
Les Principes de l'hygiénisme et les Facteurs de santé.
Les Lois de la vie et la Santé (Orthobionomique).
Etc.

CHEZ L'AUTEUR

Human Life : Its Philosophy and Laws. (Epuisé.)
Natural Diet of Man. (Épuisé.)
Hygienic Care of Children. (Épuisé.)
Natural Cure of Syphilis. (Épuisé.)
Natural Cure of Cancer. (Épuisé.)
Basic Principles of Natural Hygiene. (Épuisé.)
Orthotrophy (Vol. II, The Hygienic System). Food an Feeding.
Orthotrophy (Vol. III, The Hygienic System). Fasting and Sunbathing.
Orthokinesiology (Vol. IV, The Hygienic System). Physical Culture.
Orthogenetics (Vol. V, The Hygienic System). Sex.
Superior Nutrition.
Human Beauty : Its Culture and Hygiene.
Rubies in the Sand.
The Joys of Getting Well.
Living Life to Live it Longer.
Syphilis : Werewolf of Medecine.
Health For All.
Getting Well.
Introduction to Natural Hygiene.
Fasting Can Save Your Life.
Health Made Easy for the Millions.

Collection « Le système hygiéniste »
dirigée par GÉRARD NIZET

Herbert M. SHELTON
Directeur-fondateur de l'école de santé :
« Dr. Shelton's Health School »

LES COMBINAISONS ALIMENTAIRES ET VOTRE SANTÉ

Pour bien digérer - Les menus dissociés à la portée de tous

Traduit de « FOOD COMBINING MADE EASY »
par *René BERTRAND*

NOUVELLE ÉDITION (4e)
entièrement revue.

« Ne recherchez pas tant la santé que
« la Vérité, et la santé vous sera
« donnée par surcroît. »

H. M. Shelton.

Éditions de LA NOUVELLE HYGIÈNE
« Le Courrier du Livre »
21, rue de Seine — PARIS (6e)

Traduction de « Food Combining made easy » :
Première édition, 1955
Deuxième édition, revue et augmentée, 1958
Troisième édition, revue, 1962
Quatrième et nouvelle édition, 1968.

ISBN 2-7029-0055-0

TABLE DES MATIÈRES

Présentation 11
Préface 15
Introduction 20

CHAPITRE PREMIER. — LA CLASSIFICATION DES ALIMENTS 25

CHAPITRE II. — LA DIGESTION 30
Les enzymes et les limites de leur action — Enzymes et bactéries — Enzymes et substratum — L'enzyme de la bouche ou ptyaline — L'enzyme de l'estomac ou pepsine — Adaptation des sécrétions.

CHAPITRE III. — LES COMBINAISONS D'ALIMENTS 38
Acide-amidon — Protéine-amidon — Protéine-protéine — Acide-protéine — Graisse-protéine — Sucre-protéine — Sucre-amidon — Les melons — Le lait — Les desserts.

CHAPITRE IV. — LA DIGESTION « NORMALE » 53
La fermentation grastro-intestinale : phénomène normal ou anormal ? — Causes et effets — Comment y échapper.

CHAPITRE V. — LE REPAS DE PROTÉINES 60
Menus-types 67
CHAPITRE VI — LE REPAS D'AMIDON ... 69
Menus-types 75
CHAPITRE VII. — LE REPAS DE FRUITS .. 77
Menus-types 82
CHAPITRE VIII. — LA PRÉPARATION DES MENUS 84
Menus-types pour deux semaines 85
CHAPITRE IX. — LE « REMÈDE » A L'INDIGESTION 89
CHAPITRE X. — L'INSTITUTION HYGIÉNISTE 99
APPENDICE I. — Ce que l'hygiénisme doit au docteur Shelton 104
APPENDICE II. — « Comprimés » hygiénistes 111
APPENDICE III. — Renseignements divers :
A — Adresses 124
B — Articles de la revue « La Nouvelle Hygiène » 125
C — Petite bibliothèque hygiéniste 127

Aux innombrables chercheurs de vérité
de par le monde,
qui désirent savoir davantage
sur les secrets de la vie saine,
dans l'espoir de les aider
à préserver ou à restaurer leur santé
et celle de leurs familles,
je dédie affecteusement cet ouvrage.

Herbert M. Shelton.

TABLEAU DES COMBINAISONS ALIMENTAIRES

(Cf. H.M. Shelton, *Orthotrophy*, 1956, 4ᵉ éd., p. 321)

B. : *Bon.* — Assimilé par les digestions les plus faibles.
A. : *Acceptable.* — A éviter en cas de trouble digestif.
P. : *Pauvre.* — Exige une forte capacité de digestion.
M. : *Mauvais.* — A éviter tout le temps.

	Produits (azotés)	Amidons (glucides	Graisses	Lait frais	Lait caillé	Légumes verts (crus ou cuits)	Fruits acides	Fruits mi-acides	Fruits doux (secs)	Melons
PROTIDES (azotés)	M	M	M	M	M	B	M	M	P	M
AMYLACES (glucides)	M	B	B	M	M	B	M	M	P	M
GRAISSES (lipides)	M	B	B	A	A	B	B	B	B	M
LAIT FRAIS	M	M	A			P	A	A	M	M
LAIT CAILLE	M	M	A			P	A	A	A	M
LEGUMES VERTS	B	B	B	P	P	B	P	P	P	M
FRUIT ACIDES	M	M	B	A	A	P	B	B	P	A
FRUITS MI-ACIDES	M	M	B	A	A	P	B	B	B	A
FRUITS DOUX (séchés)	P	P	B	M	A	P	P	B	B	A
MELONS	M	M	M	M	M	M	A	A	A	B

Légumes verts : Tous les légumes verts qui poussent au-dessus du sol ; seuls ou en salade.

Noix : Amandes, noisettes, cajou, pignons, etc.

Protides : Viandes, œufs, lait, fromage, poisson, noix, etc.
(N.B. *viandes* : toutes les chairs animales, le poisson inclus.)

Amylacés (ou farineux) : Toutes les céréales et leurs dérivés (pain, pâtes, etc.).
— Légumes à racines, tels que carotte, navet, rutabaga, pomme de terre, etc.

Légumineuses : Pois, fève, haricots secs, etc .

Fruits doux : Banane, raisin doux, datte, figue, etc.

Fruits mi-acides : Poire, pomme, pêche, abricot, cerise, prune, etc.

Fruits acides : Citron, orange, pamplemousse, ananas, tomate, etc.

Remarque : Les fruits oléo-azotés (noix) et le fromage sont acceptables avec les fruits acides.

LISTE DES ALIMENTS	COMBINAISONS	
	BONNES	MAUVAISES
Fruits doux (peu acides ou non acides)	Lait caillé	Fruits acides. Protides. Lait, Amylacés (céréales, pain, pommes re terre)
Fruits acides	Fruits acides ; acceptable avec noix ; A. avec lait	Sucres (toutes catégories) Amylacés (céréales, pain, p. de t.). Protides (sauf les noix)
Légumes verts (salades compris)	Tous protides Tous amylacés	Le Lait
Amylacés (ou farineux)	Légumes verts Graisses et Huiles	Tous protides, tous fruits, acides, sucres
Les viandes (toutes catégories)	Légumes verts	Lait, amylacés, sucres, tous autres protides, fruits et végétaux acides, beurre, crème, huiles, lard
Les Œufs	Légumes verts	Idem
Les Fromages	Légumes verts	Idem à l'exception du lait
Le Lait	Mieux pris seul. Acceptable avec fruits acides.	Tous les protides, les légumes verts, les amylacés
Graisses et Huiles (beurre, crème, huile, lard)	Tous les amylacés et les légumes verts.	Tous les protides
Melons, pastèques	Se prennent seuls	Tous les aliments
Céréales (en grains) Pain, etc...	Légumes verts	Fruits acides, tous les protides, les sucres, le lait
Légumineuses, fèves et pois (excepté fèves vertes)	Légumes verts	Tous les protides. Tous les sucres, le lait, les fruits. Les corps gras.

PRÉSENTATION

En 1951, l'École de Santé du Dr Herbert McGolphin Shelton, de San Antonio (Texas), offrit au public *Food Combining Made Easy*. En 1967, on réimprima pour la seizième fois ce petit livre de 71 pages d'allure austère. Dans l'entretemps, Georges Wyckaert, le traduisit de l'américain et La Nouvelle Hygiène le publia en 1955, 1958 et 1962, sous le titre de *la Santé par les combinaisons alimentaires*. Ainsi paraissaient en France la première traduction française d'une œuvre de Shelton et du même coup la première publication en notre langue consacrée à cette question.

L'accueil fait à nos trois éditions, en dépit de leurs imperfections, a démontré que les idées émises dans cet opuscule trouvaient un écho favorable auprès de ceux qui cherchent la cause de leurs malaises. Un nombre toujours plus grand de personnes adoptent les règles prônées ici par le Dr Shelton, car la pratique en est simple. Si, au début, elles paraissent compliquées, c'est qu'elles s'écartent des coutumes régnantes. Il suffit de les insérer soi-même dans un mode de vie hygiéniste pour que la santé revienne ou se maintienne au mieux.

Toutefois, il ne s'agit pas d'une panacée. L'auteur nous

en avertit, et son message est sans équivoque : il vous est facile d'améliorer votre digestion et donc votre santé en observant les règles des combinaisons. Cette pratique, judicieusement appliquée, aura principalement pour effets : d'alléger le travail ardu de la digestion, de diminuer considérablement et parfois d'éliminer la fermentation et la putréfaction gastro-intestinales, et conséquemment de réduire la toxémie et ses conséquences.

Shelton rencontre des oppositions. Certaines gens formulent à son endroit des réserves ou même des critiques qu'on voudrait mieux fondées. D'autre part, des auteurs, parmi ceux qui devraient en être informés, ignorent ou affectent d'ignorer la physiologie de la digestion et émettent là-dessus des opinions pour le moins bizarres. Par exemple, les auteurs du livre de cuisine de Bircher-Benner, au nombre desquels on compte un médecin et un chimiste, montrent que le sujet ne leur est pas étranger. « De telles prescriptions, écrivent-ils (ne pas faire certains mélanges), se basent certainement sur quelques observations justes que nous avons faites nous-mêmes. » Ils n'en concluent pas pour autant à la nécessité des combinaisons, et ils gardent un attachement marqué pour les mélanges fruits-céréales (Bircher-muesli), lait-céréales, etc.

Avec la même inconscience, un auteur français écrit dans une revue de santé : « Très certainement des incompatibilités existent... C'est bien souvent qu'on nous signale des intolérances à certains mélanges. » Mais à peine a-t-il reconnu ce fait qu'il revient en arrière : « ... mais nous avons aussi remarqué que ces intolérances étaient loin de présenter un caractère de généralité. » Sans doute peut-on faire une telle remarque à peu près pour tout. L'un « supporte » ce que l'autre ne supporte pas, mais cette constatation annule-t-elle les lois vitales et les processus physiologiques ? Certains « supportent mieux », mais jusqu'à quand ? Jusqu'à ce que l'organisme n'en puisse plus, évidemment. Belle sagesse !

Ainsi donc, même des auteurs qui admettent le bien-fondé des combinaisons correctes en sous-estiment l'importance. Ne parlons pas d'un certain « professeur » qui a repris les incompatibilités « trophologiques » de J. Castro (Espagne), dont le moins qu'on puisse dire est qu'elles n'ont rien à voir avec la physiologie, mais relèvent du plus mauvais empirisme.

D'autres auteurs naturistes et diététiciens, qui suivent aveuglément les idées médicales, confondent les processus de la digestion normale avec ceux de la fermentation et de la putréfaction gastro-intestinales qui se juxtaposent chez la plupart des civilisés. L'un d'entre eux fait cette confusion lorsqu'il écrit, visant les partisans des bonnes combinaisons : « Certains naturistes semblent craindre plus que tout les fermentations sans paraître réaliser (*sic*) que les transformations digestives procèdent par fermentations successives. » A cela Shelton répond, au chapitre IV, qu'il faut distinguer, par exemple, les sous-produits de la digestion des amidons, d'une part, et ceux de leur fermentation, d'autre part. Nous avons d'un côté réduction en sucres simples utilisables, de l'autre, production de bioxyde de carbone, acide acétique, etc., inutilisables. Il en va de même pour les protéines. Ces quelques exemples montrent le peu de sérieux de bon nombre d'objections que l'on oppose aux règles des « combinaisons ».

Notons encore que la pratique des combinaisons fait perdre à l'aliment le caractère de banalité que la routine lui confère. L'étude qu'elles exigent nous fait épeler comme un alphabet nouveau ; nous en composons des phrases qui se traduisent à la longue par une assimilation et une nutrition meilleures. Sucres, amidons, protéines, végétaux aqueux, fruits aqueux, fruits acidulés et mi-acidulés, fruits doux, noix, voilà autant d'éléments que nous apprenons à connaître et avec lesquels nous jouons ensuite (comme avec des mots, des notes ou des couleurs) pour qu'ils prennent place harmonieusement dans le grand œuvre de la nutrition. Ainsi donc l'abécédaire des combinaisons qui nous parle de modestes nourritures fait au savoir et au discernement une part d'autant plus grande que la modeste leçon a été bien comprise. Pour le sage, tout progrès n'est que le résultat de petites leçons bien assimilées.

La présente édition, la quatrième à ce jour, porte un titre modifié qui a le mérite d'une plus grande exactitude. Il s'agit d'une traduction entièrement nouvelle que nous devons à l'initiative d'un hygiéniste de l'État du Québec. Nous l'en remercions avec d'autant plus d'empressement que sa traduction nous est arrivée au moment où nous songions à réimprimer cette œuvre qui est toujours en demande. Nous en avons profité pour relancer sous une forme nouvelle l'essentiel des notes explicatives, des commentaires et des conseils que renfermaient les premières éditions. Nous avons ajouté des renseignements divers à l'intention du chercheur. Les menus ont été retouchés de manière à servir au plus grand nombre.

L'effort qu'exigera du lecteur l'assimilation de cette œuvre, sera amplement récompensé, nous en donnons l'assurance. Ce qui aura paru austère au début deviendra rapidement source de bien-être et de joie, au fur et à mesure qu'on progressera dans les voies de l'*Hygiénisme*. De plus, ce petit livre permettra à celui qui ignore complètement ou presque l'hygiénisme de se familiariser avec *un des aspects* de ce mode de vie dont la portée dépasse largement la simple question des combinaisons alimentaires, tout essentielle qu'elle soit.

Nous recevrons toujours avec intérêt et reconnaissance les rapports de résultats, expériences, observations qui se rattachent à cette pratique. Non qu'elle ait besoin de confirmation, car elle a dépassé ce stade depuis longtemps, mais parce que les exemples vécus sont toujours utiles dans leur diversité et peuvent servir aux chercheurs désireux de faire progresser une science de la vie dont la mise en œuvre ouvre des perspectives certaines de santé et de bonheur.

GÉRARD NIZET.

PRÉFACE

L'incompétence et les abus de la médecine sont les principaux facteurs de l'avènement de l'hygiène naturiste, laquelle s'est développée proportionnellement au nombre grandissant de médecins et de médicaments. Voilà les raisons pour lesquelles, à notre avis, vers la fin du 19e siècle, l'hygiène naturiste a brusquement surgi dans la majorité des pays, de pair avec les méthodes nouvelles et maléfiques de la vaccination, de la chimie, de la thérapeutique, des rayons X, de la bactériologie, etc... Là où les peuples sont moins civilisés, moins drogués et moins traités, l'hygiène naturiste est inconnue. Cela se comprend fort bien : sans médecins, médicaments et poisons pharmaceutiques modernes, les peuples primitifs échappent à la majorité des maladies qui en découlent fatalement. Loin de ces facteurs morbifiques, ils n'éprouvent pas un besoin pressant du retour à la nature, surtout qu'ils n'en sont pas eux-mêmes trop éloignés. Par ailleurs, chez les civilisés, les médicaments et la médecine ont causé tant de mal, que les souffrances endurées ont incité fortement le public à raisonner, à se réveiller et à rejeter un système de thérapeutique satanique et nocif. On a compris que si l'humanité ne se dépêche pas de détruire sa médecine, ses médecins et ses médicaments, ceux-ci la détruiront irrémédiablement et pour toujours. Les gaz asphyxiants, la bombe atomique et les rayons de la mort se sont avérés des parents pauvres et anémiés par rapport à l'arsenal médical et pharmaceutique. C'est donc proportionnellement aux souffrances endurées à cause de la médecine que l'hygiène naturiste s'est développée. Aux Etats-Unis, qui sont les plus atteints et où le nombre grandissant de médecins et de médicaments devient un grave danger pour la vie humaine, l'hygiène naturiste s'est développée le plus, — et c'est là aussi que l'école actuelle d'Hygiénisme a vu le jour.

En France, le mouvement d'hygiène naturiste a réellement pris forme avec le Docteur Paul Carton, au début de ce siècle, ainsi qu'avec d'autres pionniers, tels que Mono, etc... Le docteur Carton était un pionnier vaillant et un dirigeant courageux du mouvement français. Sa mort laissa le mouvement sans chef, et la seconde guerre mondiale a failli engloutir tout ce qu'on avait accompli.

Cependant vers l'année 1945 un réveil s'opéra grâce à diverses personnalités qui prirent la tête de plusieurs groupements, dont quelques-uns sont actuellement assez importants.

Néanmoins, avec la perte du Dr Carton, le mouvement d'hygiène naturiste a perdu sa force, sa vigueur et son mordant. On insiste actuellement trop peu sur la nocivité des médicaments, de sorte que les malades appliquent les conseils d'hygiène naturiste, mais n'abandonnent pas totalement leur foi dans les médicaments. On s'imagine à tort qu'il est possible de bâtir sur des décombres sans détruire, sans déraciner. On ne veut pas lutter violemment contre les erreurs, de sorte que les vieilles idées médicales restent enracinées telles qu'elles étaient, et empêchent les nouvelles conceptions de prendre solidement leur place.

Du point de vue du progrès scientifique, l'hygiène naturiste en France n'a fait aucun progrès depuis Carton, Durville et Mono. La valeur du jeûne est presque inconnue, et peu propagée.

Enfin, la majorité des naturistes français ont adopté l'une ou l'autre des pratiques erronées suivantes, ce qui est en vérité déplorable : purgation, magnétisme, hydrothérapie, applications d'argile, homéopathie, acupuncture, herbes, chiropratique, biochimie, radiesthésie, cures spécifiques, traitements particuliers, massages, rayons artificiels, pilules, etc...

En France, il n'existait pas, jusqu'à ces derniers temps, de maison spécifiquement hygiéniste où l'on puisse jeûner et suivre une diète de désintoxication. Cette lacune a été récemment comblée.

***

Aux Etats-Unis comme en France, l'hygiène naturiste s'est développée et s'est propagée avec toutes ses imperfections et ses défauts. Mais, avant l'hygiène naturiste, a surgi aux Etats-Unis le *Système Hygiéniste ou Hygiénisme,* inconnu partout ailleurs. Ses pionniers valeureux sont les docteurs Trall, Tilden, Jennings, Walter, Densmore, Page, Alcott, Oswald, Dewey, Taylor, etc...

Le *Système Hygiéniste* ressemble à bien des égards à l'hygiène naturiste, mais en diffère sur un point essentiel et fondamental. Il ne reconnaît pas l'existence des remèdes artificiels ou naturels, et considère l'idée de « guérir une maladie » comme un non-sens total. En effet, en premier lieu les maladies n'existent pas en tant qu'entités, — on n'observe que des symptômes variés, — ensuite il n'est pas du tout logique de vouloir guérir ou arrêter « la maladie », étant donné que celle-ci n'est autre que l'effort du corps pour se désintoxiquer. C'est plutôt « la maladie » qui rétablit le malade, comme par exemple, la diarrhée qui nettoie les intestins, la fièvre qui désintoxique les tissus, les furoncles qui purifient le sang, etc... Les remèdes n'existent donc que dans l'imagination des gens, la « maladie » étant elle-même l'excellent remède de la nature pour rétablir le malade. Et tandis que l'hygiène naturiste vante une grande gamme de remèdes naturels, tels que l'eau, les aliments, l'argile, les herbes, etc..., le *Système Hygiéniste* n'en reconnaît aucun. Le *Système Hygiéniste ou Hygiénisme* utilise tous les facteurs hygiéniques naturels comme matériaux nécessaires à la santé, et non comme remèdes, pour les bien portants comme pour les malades, selon la capacité des uns et des autres. Le *Système Hygiéniste* utilise le repos comme facteur de récupération, — repos musculaire, nerveux, digestif (jeûne), intestinal (considéré ici à tort comme constipation), sensoriel et sexuel. Avec ces facteurs hygiéniques naturels, — repos, aliments sains, air, soleil, propreté, foi, etc..., — la « maladie » qui représente les actions salutaires de désintoxication suivra son cours, s'accomplira et se terminera parfaitement bien, et le malade se rétablira et recouvrera la santé. L'absence de ces facteurs nécessaires à la vie causant « la maladie », leur présence rétablit l'ordre perturbé et redonne la santé. Tandis que dans les conditions de vie malsaine, la « maladie » était nécessaire comme désintoxication de l'organisme, — dans les conditions hygiéniques, elle s'achève et le corps, n'ayant plus besoin d'elle, retrouve son plein équilibre de santé.

Les *Hygiénistes* ont adopté cet autre principe important que la majorité des naturistes connaissent mais ne comprennent pas. *En supprimant la cause, l'effet disparaît.* Que viennent donc faire tous ces remèdes naturels et artificiels ? Ne suffit-il pas de supprimer les mauvaises habitudes pour que leur effet (maladie) disparaisse ? Voilà pourquoi nous, *Hygiénistes,* condamnons tous les moyens pris comme remèdes, et n'acceptons que les facteurs hygiéniques, nécessaires à la vie. Nous n'acceptons aucun facteur pour les malades, qui ne soit indispensable aux bien portants.

Le savant actuel et le dirigeant du mouvement *Hygiéniste* aux Etats-Unis est le célèbre docteur Herbert M. Shelton. Son œuvre magistrale et monumentale est presque inconnue en France. Aidés par quelques personnes consciente et capables, nous nous sommes donnés pour tâche de traduire et de présenter au public le *Système Hygiéniste.* L'ouvrage que voici servira parfaitement bien à éclairer la question des concordances et discordances digestives. D'autres seront également traduits et édités. Ils seront très appréciés du public assoiffé de vérité, las de souffrir et de gémir.

Signalons enfin que plusieurs brochures ont déjà été publiées, basées sur le *Système Hygiéniste,* écrites par nous-mêmes et par d'autres auteurs, dans la présente collection, par les soins de l'éditeur du présent ouvrage.

ALBERT I. MOSSÉRI.

INTRODUCTION

A maintes reprises, on m'a demandé d'écrire un opuscule sur les combinaisons alimentaires. D'année en année, cette demande a grandi avec le nombre de ceux qui reconnaissent à quel point il importe d'équilibrer le menu de nos repas. Le présent ouvrage satisfera, je l'espère, les exigences du profane peu au courant de l'aspect technique de cette question. Quoique rédigé dans la langue de tout le monde, il offre assez de données techniques pour que le lecteur moyen y trouve son compte.

Je m'adresse à toutes les catégories de lecteurs, qu'ils soient végétariens ou non. Si je suggère, à l'intention des amateurs du régime mixte, quelques types de menus incluant la viande, ce n'est que pour répondre aux exigences de tous, non par manière de compromis ou encore parce que j'aurais délaissé en douce le végétarisme.

La pratique des combinaisons consiste à éviter dans la composition des repas certains mélanges d'aliments et à en conseiller d'autres. La médecine et d'autres écoles de « guérisseurs », ainsi que des diététiciens à la remorque de l'allopathie ont soulevé contre cette pratique certaines objections. Comme si l'estomac de l'homme est ainsi fait qu'il puisse digérer sans peine toutes les combinaisons imaginables d'aliments. Les seuls faits rapportés ici constituent déjà par eux-mêmes une réponse suffisante à ces objections. Je ne m'attarderai donc pas à les réfuter. Au lecteur qui désire en savoir plus long de consulter à ce sujet mon ouvrage intitulé *Orthotrophy,* le deuxième d'une série de sept volumes sur le système hygiéniste.

Depuis environ 1920, soit en pratique privée, soit dans une institution hygiéniste, j'ai prodigué des soins et donné des conseils sur l'alimentation à toutes les catégories de personnes : jeunes et vieux, bien portants et malades, hommes et femmes, riches et pauvres, instruits et ignorants. Tant d'années d'expérience m'autorisent, ce me semble, à parler avec quelque assurance. Quand on a étudié la diététique pendant plus de quarante ans et qu'on a dirigé dans leur alimentation des milliers de personnes, on est certes mieux qualifié pour aborder notre sujet que celui qui aurait consacré un temps égal à droguer les malades. Au fait, rares sont les médecins qui s'adonnent sérieusement à l'étude de la diététique, et plus rares encore ceux qui l'appliquent pour la peine dans leurs soins aux malades. « Mangez tout ce qui vous plaît ! » N'est-ce pas un conseil que les médecins ont l'habitude de donner à leurs patients ?

Le 10 juillet 1928, à San Antonio, Texas, l'école de santé, connue sous le nom de « Dr. Shelton's Health School », ouvrait ses portes. Depuis lors, cette école a reçu des malades venant de toutes les parties des Etats-Unis et du Canada, ainsi que de nombreux autres pays : Mexique, Argentine, Nicaragua, Costa-Rica, Brésil, Vénézuéla, Cuba, Hawaï, Chine, Nouvelle-Zélande, Australie, Angleterre, Irlande, Afrique du Sud, Alaska, etc. Les résultats surprenants que nous avons obtenus jusqu'ici dans le soin de toutes sortes de maladies, et même dans des milliers de cas qu'on disait incurables, attestent la valeur de nos méthodes et des moyens dont nous disposons à cette école.

Toutefois, que le lecteur ne pense pas trouver dans ce livre la recommandation d'un « régime » ou d'un programme particulier de combinaisons dont l'application aurait pour effet de « guérir » la maladie. Je ne crois pas aux remèdes. J'affirme plutôt — et je suis prêt à le prouver — que dans les cas où les avaries organiques ne sont pas irréversibles, les forces vitales elles-mêmes, œuvrant avec les éléments naturels nécessaires à la vie, vont ramener la santé et l'intégrité, pourvu que disparaisse la cause de la maladie. Or, les aliments ne sont qu'un de ces éléments indispensables à la vie.

Dans cette optique, le rôle primordial de l'hygiéniste sera d'assurer au malade l'entier bénéfice de tous les moyens propres à lui rendre la santé. Alors seulement le malade aura l'occasion de se rétablir. Qui ne voit par là que les seuls soins rationnels et essentiels qui puissent être administrés, en quelque lieu et à quelque époque que ce soit, sont les soins hygiénistes ? Aussi bien, faudra-t-il en arriver un jour à « traiter » toutes les maladies d'après les principes simples et sûrs de l'hygiénisme. Des principes véritables, une fois découverts, peuvent et doivent s'appliquer non à une ou deux maladies ou à une seule catégorie de maladies, mais à toutes les maladies, quelles qu'elles soient. On appliquera donc les principes hygiénistes à toutes les maladies connues. Même dans les cas où la chirurgie peut être de quelque valeur, on devrait toujours employer les soins hygiénistes préalablement à toute intervention chirurgicale.

Notre école de santé est située dans le sud-ouest ensoleillé des Etats-Unis. C'est un endroit idéal. Les étés sont chauds ; les hivers sont courts et assez doux pour permettre le bain de soleil pendant toute la saison ; le sol est fertile, et l'année durant on peut se procurer fruits et légumes de première qualité. Ces avantages naturels secondent à merveille notre vaste expérience dans le soin de toutes les maladies. C'est ce qui explique que nous soyons à même de prodiguer à nos malades des soins qu'ils ne sauraient trouver facilement ailleurs.

A l'école de santé, nous mettons largement à contribution tous les facteurs naturels qui ont quelque influence sur la santé : l'air, l'eau, les aliments, le soleil, le repos, le sommeil, l'exercice, la propreté, la maîtrise des émotions, etc. Le jeûne — ce repos physiologique — occupe une place à part dans notre système de soins. Mais d'abord et par-dessus tout, nous cherchons à supprimer les causes de la maladie. Tenter de guérir la maladie sans en supprimer la cause, c'est comme essayer de corriger un ivrogne qui s'obstinerait à boire. Il va sans dire que nous offrons à nos patients des repas conformes aux principes que nous prônons. Les règles que nous établissons ici ne sont donc pas de simples considérations théoriques. Elles ont passé par le creuset d'une longue expérience.

Mais pourquoi prêter attention à la combinaison des aliments ? Pourquoi ne pas mêler indistinctement nos aliments et manger au hasard ? Pourquoi nous soucier de tous ces détails ? Les animaux suivent-ils des règles de combinaison alimentaire ?

Il est facile de répondre à ces questions. Commençons par la dernière. Les animaux mangent très simplement et font très peu de mélanges. Ils ne consomment certainement pas d'hydrates de carbone, ni ne prennent d'acides avec leurs protéines. Le cerf qui broute dans la forêt mélange très peu ses aliments. L'écureuil qui mange des noix fait vraisemblablement son plein de noix et n'y ajoute pas d'autre aliment. On a observé des oiseaux qui mangeaient des insectes à un moment de la journée et des graines à un autre moment. Les animaux sauvages ne disposent pas, comme l'homme civilisé, d'une grande variété d'aliments pour leurs repas. L'homme primitif non plus ne disposait pas d'une variété d'aliments considérable. Tout comme les animaux, il devait manger simplement.

Nous le verrons au chapitre II, l'action des enzymes de l'appareil digestif a des limites précises que nous ne saurions outrepasser sans encourir des malaises. Combiner correctement ses aliments est une manière intelligente de respecter ces limites ; c'est, par le fait même, s'assurer une digestion à la fois plus facile et plus complète.

Les aliments qu'on ne digère pas ne profitent guère. Manger pour que les aliments se gâtent dans le tube digestif, c'est du gaspillage. Pire encore, puisque la putréfaction des aliments engendrent des poisons. La combinaison correcte des aliments procure non seulement une meilleure nutrition, résultant d'une meilleure digestion, mais encore elle protège de l'empoisonnement.

Que d'allergies disparaissent complètement quand ceux qui s'en plaignent s'avisent de manger en combinant comme il faut leurs aliments ! Ils ne souffrent pas d'allergie, — comme on l'entend dire de nos jours, — mais d'indigestion. On parle d'allergie alors qu'il s'agit d'empoisonnement protéique. L'indigestion produit l'empoisonnement par la putréfaction, autre forme d'empoisonnement protéique. Dans la digestion normale, il y a assimilation complète des protéines, sans production de substances toxiques; de la sorte, le flux sanguin s'enrichit de matières nutritives, au lieu de charrier des poisons.

Ce petit livre est une œuvre de science éprouvée. Je l'offre tel quel au lecteur intelligent. S'il sait en tirer parti, sa santé s'améliorera, sa vie elle-même en sera prolongée et rendue plus fructueuse. Au sceptique, je dis seulement : essayez ! Condamner sans examen, c'est renoncer à connaître. Ne vous retranchez pas dans une attitude qui vous empêcherait d'en savoir davantage et vous priverait des bienfaits d'une meilleure santé. Faites un essai loyal des quelques règles que vous révèle ce petit livre. Vous verrez.

Chapitre premier

LA CLASSIFICATION DES ALIMENTS

Les aliments sont des substances comestibles qui peuvent être transformées en cellules et en sécrétions du corps. Les matières inutilisables, comme les médicaments, sont toutes toxiques. Un aliment véritable ne doit pas contenir d'éléments nuisibles. Par exemple, le tabac est une plante renfermant des protéines, des hydrates de carbone, des minéraux, des vitamines et de l'eau. Comme tel, ce devrait être un aliment. Mais le tabac contient en plus de nombreux poisons, dont l'un d'eux se classe parmi les plus virulents que la science connaisse. Le tabac n'est donc pas un aliment.

Les denrées, telles qu'elles nous viennent du jardin, du verger ou du magasin d'alimentation, renferment de l'eau et un certain nombre d'éléments organiques appelés protéines, hydrates de carbone (sucres, amidons, pentoses), graisses (huiles), sels minéraux et vitamines. Elles contiennent ordinairement une certaine quantité de matières non digestibles.

Ces denrées constituent la base de la nutrition. Comme leurs propriétés et leur valeur varient dans une large mesure, je les classe ici, par commodité, d'après leur composition et leur provenance. Cette classification orientera déjà le lecteur dans la pratique des combinaisons.

I. — Protéines (protides)

Les aliments suivants contiennent un pourcentage élevé de protides :

Graines et noix (riches aussi en huile) : amande, noisette, sésame, pistache, etc.) — Légumineuses — Arachide — Soja — Viandes, poissons, fromages, œufs — Céréales — Lait : % plus faible.

II. — Hydrates de carbones (Glucides)

Les hydrates de carbone comprennent les amidons et les sucres. Je les subdivise ici en trois groupes : les amidons, les sucres et sirops, les fruits doux.

1° *Amidons (ou farineux) :*

Arachide (cacahuète) — Céréales (toutes) — Châtaigne — Fève, haricot et pois secs (à l'exception du soya) — — Pomme de terre (toutes variétés) — Potiron — Topinambrour — Etc.

2° *Amidons légers (ou petits farineux) :*

Artichaut — Betterave — Carotte — Chou-fleur — Navet — Rutabaga — Salsifis — Etc.

3° *Sirops et sucres :*

Sucres blanc, brun (cassonade), de canne, d'érable, de lait — Miel — Etc.

4° *Fruits doux :*

Banane — Datte — Figue — Kaki — Poire séchée au soleil — Pruneau — Raisin — Raisin sec — Etc.

III. — Graisses (Lipides)

Toutes les graisses et les huiles suivantes :

Avocat — Beurre — Crème — Huiles de coton, de maïs, de noix, d'olive, de sésame, de soya, de tournesol — Lard — Noix (la plupart) — Succédanés du beurre — Suif — Viandes grasses — Etc.

IV. — FRUITS ACIDES

La plupart des acides absorbés dans les aliments proviennent des fruits acides. Voici les principaux :

Ananas — Citron — Grenade — Orange — Pamplemousse — Pêche acide — Pomme acide — Prune acide — Raisin acide — Tomate — Etc.

VI. — FRUITS MI-ACIDES

Les fruits mi-acides sont les suivants :

Abricot — Bluet — Cerise douce — Figue fraîche — Mangue — Mangouste — Papaye — Pêche douce — Poire — Pomme douce — Prune douce — Etc.

VI. — LÉGUMES VERTS NON FARINEUX

Cette catégorie comprend tous les légumes succulents, qu'ils soient de couleur verte, rouge, jaune ou blanche, peu importe. Les principaux sont :

Ail — Asperge — Betterave (feuilles vertes) — Brocoli — Cardon — Carotte (feuilles vertes) — Céleri — Ciboulette — Civette — Chicorée — Choux commun, de Bruxelles, de Chine, chou-fleur, frisé — Concombre — Courge — Courgette — Cresson — Echalote — Endive — Epinard — Haricot vert — Laitue — Maïs vert — Moutarde — Mavelle — Navet (feuilles vertes) — Oignon — Oseille — Persil — Pissenlit — Poireau — Poivron doux — Pousse de bambou — Primevère — Radis — Rhubarbe — Scarole — Etc.

VI. — MELONS

Toutes les espèces de melons et de pastèques.

⁂

NOTE

On aura remarqué que H. M. Shelton fait figurer certains aliments sous deux rubriques. Par exemple, légumineuses et céréales sont classées parmi les hydrates de carbone et les protides. C'est qu'elles contiennent une quantité appréciable de ces deux composants. Ainsi des diverses noix qui figurent parmi les huiles et les protéines. Mais les céréales et les légumineuses sont avant tout des farineux, et les noix, des fruits oléagineux. Ces mélanges naturels restent dans des proportions que l'on ne peut qualifier que d'heureuses.

La digestibilité naturelle d'un aliment en fonction de ses composants indique d'elle-même l'usage qu'on en doit faire :

Pour 100 g	POIS	FEVE	LENTILLE	BLE	RIZ
GLUCIDES (amidons)	63 g	57 g	56 g	69 g	73 g
PROTIDES	23 g	25 g	23 g	10-12 g	8 g

On trouve donc une proportion élevé de protides dans les légumineuses. Pour les céréales, cette quantité diminue, alors que celle de l'amidon augmente. Le riz semble à première vue plus digeste que les autres. La châtaigne est plus digeste encore, avec 4 % de protéines seulement. Le soya, avec 24 d'amidon, 37 de protéines et 18 de graisse pour 100 grammes, est assez lourd à digérer s'il n'est pas dégraissé.

Autres comparaisons :

Pour 100 g	NOIX	NOISETTE	AMANDE	NOIX DE COCO
LIPIDES	50 g	60 g	54 g	40 g
PROTIDES	10 g	16 g	20 g	4 g
GLUCIDES	20 g	15 g	17 g	3 g

La digestion des fruits azotés est plus longue que celle des fruits juteux pris seuls ou des fruits doux séchés, mais elle n'est pas anormale. Là encore, les pourcentages naturels sont harmonieux.

Si la nature donnait de nombreux aliments contenant une proportion presque identique de lipides, de protides et de glucides, le problème serait autre, et notre système digestif probablement différent. Mais de tels mélanges n'existent pratiquement pas dans les aliments naturels. L'aliment est soit riche en glucides (amidon ou sucre), soit riche en lipides (huile). Le blé contient moins de protéines que d'amidon. S'il contenait autant de l'un que de l'autre, il serait très indigeste en soi ; en fait, il devient lourd sous forme de pain pris en même temps qu'une protéine, comme le démontre l'auteur.

GÉRARD NIZET.

Chapitre II

LA DIGESTION

Les denrées alimentaires constituent la matière première de la nutrition. Toutefois, pour que l'organisme puisse bénéficier de leurs éléments nutritifs, ces denrées doivent d'abord être désintégrées, raffinées et normalisées. Ces opérations donnent lieu aux processus de la digestion.

La digestion est en partie mécanique, — comme dans la mastication, la déglutition et le brassage des aliments, — et en partie chimique. Dans ce dernier cas, c'est de la physiologie de la digestion qu'il s'agit. Elle consiste principalement dans l'étude des changements que subissent les aliments au cours de leur passage dans le tube digestif. Notre propos exige que nous insistions ici sur les digestions buccale et stomacale plus que sur la digestion intestinale.

Les enzymes et les limites de leur action

La transformation des aliments au cours de la digestion s'effectue sous l'action d'un groupe d'agents ou ferments inorganiques appelés enzymes, lesquelles n'agissent que dans des conditions nettement déterminées. D'où la nécessité d'étudier soigneusement les règles de la combinaison correcte des aliments et de faire appel à cette fin aux principes de la chimie de la digestion sur lesquels reposent ces règles.

De nombreux physiologistes ont réussi, après de longs et patients travaux à mettre en lumière quantité de faits concernant l'action limitée des enzymes. Malheureusement, ces mêmes physiologistes ont tenté de réduire l'importance de ces faits. A les croire, nous pourrions sans inconvénient continuer de manger et de boire comme d'habitude, au petit bonheur. Ils ont même sous-estimé les efforts faits dans la mise en œuvre des connaissances que nous devons pourtant à leurs laborieuses et patientes recherches. A l'encontre de cette attitude, les tenants de l'hygiénisme, dont nous sommes, cherchent à étayer les règles pratiques de la vie sur les données de la biologie et de la physiologie.

Avant d'entreprendre l'étude des enzymes de la bouche et de l'estomac, ajoutons quelques brèves considérations sur les enzymes en général. Une enzyme est à proprement parler un catalyseur physiologique. On le sait déjà par l'étude de la chimie, nombre de substances qui ne se combinent pas normalement entre elles réagissent lorsqu'on les met en présence d'une troisième substance. Cette dernière n'entre aucunement dans la combinaison, ni ne prend part à la réaction, mais sa seule présence semble déclencher la combinaison et la réaction. On appelle catalyseur cette substance ou agent, et catalyse, l'opération correspondante.

Les plantes et les animaux produisent des substances catalytiques solubles, de nature colloïdale, mais peu résistantes à la chaleur. Ces substances agissent dans les multiples opérations de désintégration des composés et dans la formation de nouveaux composés. Ce sont précisément des enzymes. Plusieurs sont connues, toutes apparemment de caractère protéique. Seules nous intéressent ici les enzymes qui entrent en jeu dans la digestion. Elles servent à réduire les aliments en des composés plus simples que peut accepter le flux sanguin et que les cellules du corps utilisent dans la formation de nouvelles cellules.

Enzymes et bactéries

L'action des enzymes dans la digestion ressemble de très près à une fermentation, ce qui a fait croire dans le passé que ces substances étaient des ferments. Toutefois, la fermentation provient des bactéries ou ferments organiques, et ses produits, qui diffèrent de ceux de la désintégration des aliments par les enzymes, ne sont pas nutritifs, mais toxiques. La putréfaction également résulte de l'action bactérienne. Elle non plus ne produit pas de matières nutritives, mais bien des poisons, dont certains sont très virulents.

Enzymes et substratum

On appelle substratum la substance sur laquelle agit une enzyme. Ainsi, l'amidon est le substratum de la ptyaline. Le Dr N. Philipp Norman, chargé de cours de gastro-entérologie au New York Polyclinic Medical School and Hospital de la ville de New York, fait sur ce sujet une observation intéressante : « En étudiant, dit-il, l'action des différentes enzymes, on est frappé par l'assertion d'Emil Fisher, selon laquelle il faut une clef spéciale pour chaque serrure. Le ferment, c'est la serrure, et son substratum la clé. Si la clé ne s'adapte pas exactement à la serrure, pas de réaction possible. Dès lors, n'est-il pas logique de penser que le mélange, au même repas, de différents types d'hydrates de carbone, de graisses et de protéines nuit grandement aux cellules digestives ? S'il est vrai que le même type de cellules produit des serrures similaires, quoique non identique, il est logique de penser que pareil mélange surcharge au possible les fonctions physiologiques de ces cellules. » Selon Fisher, physiologiste réputé, la spécificité des diverses enzymes correspondrait à la structure du substratum. Apparemment, chaque enzyme serait adaptée ou ajustée à une structure déterminée.

L'ENZYME DE LA BOUCHE OU PTYALINE

La digestion commence dans la bouche. La mastication a pour but de broyer les aliments, de les réduire en parcelles minuscules et de les insaliver complètement. Toutefois, la chimie de la digestion ne commence dans la bouche que pour l'amidon. Normalement la salive est un fluide alcalin qui contient la ptyaline. Cette enzyme réduit l'amidon en maltose (sucre complexe) ; le maltose est ensuite travaillé dans l'intestin par la maltase qui le réduit en glucose ou sucre simple. La ptyaline a donc ainsi préparé l'entrée en jeu de la maltase qui ne peut agir directement sur l'amidon.

L'amylase est une enzyme de sécrétion pancréatique. Elle réduit, elle aussi, l'amidon, tout comme la ptyaline. De sorte que l'amidon qui échappe aux phases de la digestion buccale ou stomacale peut encore être transformé en maltose et en achrodextrine, pourvu que cet amidon n'ait pas fermenté avant son arrivée dans l'intestin.

Un acide faible ou une réaction fortement alcaline détruisent la ptyaline qui ne peut agir qu'en milieu modérément alcalin. Cette action limitée de la ptyaline devrait nous inciter à surveiller la manière dont nous mélangeons nos amidons. Si nous les mélangeons à des aliments acides ou qui produisent une sécrétion acide dans l'estomac, l'action de la ptyaline s'en trouve arrêtée, comme nous le verrons en détail plus loin.

L'ENZYME DE L'ESTOMAC OU PEPSINE

Selon le type de l'aliment ingéré, le suc gastrique peut aller du presque neutre au fortement acide. Ce suc contient trois enzymes : la pepsine, qui agit sur les protéines, la lipase, qui a une légère action sur les graisses, et la présure, qui coagule le lait. Nous traiterons ici seulement de la pepsine, qui a le pouvoir d'amorcer la digestion de toutes sortes de protéines. Fait à retenir, car la pesine serait la seule enzyme à posséder cette caractéristique.

Sans doute, diverses enzymes agissent aux différentes phases de la digestion des protéines, mais il se peut que leur action soit limitée à la phase pour laquelle chacune d'elles est spécifiquement adaptée. Par exemple, l'érepsine, qui se trouve dans les sécrétions intestinale et pancréatique, n'agit pas sur les protéines complexes. Elle n'agit que sur les peptides et les polypeptides pour les réduire en acides aminés. Si la pepsine ne réduisait pas d'abord les protéines en peptides, l'érepsine n'agirait pas sur l'aliment protéique.

La pepsine n'agit qu'en milieu acide. Elle est détruite en milieu alcalin. Une basse température, comme celle que produit l'absorption de boissons glacées, retarde et même suspend son action. L'alcool précipite cette enzyme.

Le fait de voir, de sentir ou d'imaginer un aliment peut amener un flot de salive ou vous mettre « l'eau à la bouche », comme on dit. Ces mêmes facteurs peuvent provoquer un flot de suc gastrique. Disons que c'est « l'eau qui vient à l'estomac ». Mais la saveur de l'aliment est le facteur prédominant dans la production de la salive.

Le physiologiste Carlson essaya maintes fois, mais en vain, de provoquer chez des sujets un flot de suc gastrique en leur faisant mastiquer différentes substances ou en agaçant leurs muqueuses buccales avec des substances non comestibles. On en conclut que les substances indigestibles mises dans la bouche ne provoquent pas de sécrétion. L'organisme fait son choix, et, comme nous le verrons par la suite, les réactions diffèrent selon la variété des aliments.

D'autre part, au cours de son étude du « réflexe conditionné », Pavlov fut amené à reconnaître qu'il n'est pas nécessaire de mettre l'aliment en bouche pour provoquer la sécrétion du suc gastrique. Le simple fait de taquiner un chien en lui montrant un aliment savoureux suffit à provoquer cette sécrétion. Pavlov constata aussi qu'on pouvait obtenir le même résultat par le moyen de bruits ou de toute autre action associée à l'heure habituelle du repas.

Adaptation des sécrétions

Consacrons maintenant quelques paragraphes à l'étude du pouvoir qu'a le corps d'adapter ses sécrétions aux divers aliments. Nous verrons plus loin les limites de ce pouvoir.

Dans *Physiology in Modern Medecine* (Médecine moderne et Physiologie), McLeod écrit : « On a grandement fait état des observations de Pavlov sur les réactions des poches gastriques des chiens à la viande, au pain et au lait. Ces observations nous intéressent, car elles montrent à l'évidence que le mécanisme de la sécrétion gastrique peut s'adapter aux aliments. » Ce qui rend possible cette adaptation, ce sont les sécrétions gastriques qui émanent d'environ cinq millions de glandes microscopiques dissimulées dans les parois internes de l'estomac. Plusieurs de ces glandes sécrètent différentes parties du suc gastrique. Les quantités et proportions variables des divers éléments qui entrent dans la composition de ce suc donnent un fluide aux propriétés multiples et qui contribue à la digestion des différentes sortes d'aliments. Ainsi, selon les besoins, la réaction du suc peut être pratiquement neutre, faiblement ou fortement acide, et contenir plus ou moins de pepsine. Le facteur temps joue aussi. A un moment de la digestion, le caractère du suc peut être très différent de ce qu'il est à un autre moment, toujours selon ce qu'exige l'aliment à digérer.

La salive s'adapte, elle aussi, aux différents aliments et besoins digestifs. Ainsi, les acides faibles provoquent un flot copieux de salive, alors que les alcalins faibles n'en provoquent aucun. Même des substances désagréables et nuisibles occasionnent une sécrétion salivaire, mais alors c'est pour faciliter leur rejet. Les physiologistes font remarquer que l'action d'au moins deux types différents de glandes buccales peut amener une gamme considérable de variations correspondant au caractère de la sécrétion composée qui est finalement libérée.

Le chien nous fournit un excellent exemple de ce

pouvoir qu'a le corps de modifier et d'adapter ses sécrétions selon le caractère des différents aliments. Nourrissez le chien de viande, et sa sous-maxillaire surtout sécrétera une salive épaisse et visqueuse. Nourrissez-le de poudre de viande, et alors de sa parotide coulera une abondante sécrétion aqueuse. La sécrétion épaisse lubrifie le bol alimentaire et facilite ainsi la déglutition, tandis que l'autre, aussi fluide que l'eau, entraîne la poudre sèche loin de la bouche. Ainsi donc, le service à rendre détermine le caractère du suc.

La ptyaline n'agit pas sur le sucre. Quand on mange du sucre, la salive abonde, mais elle est dépourvue de ptyaline. Les amidons trempés ne reçoivent pas de salive. Pas de ptyaline non plus sur la viande ou la graisse. Ce ne sont là que quelques-unes des adaptations facilement vérifiables parmi celles qu'on pourrait mentionner, et, on croit que la sécrétion gastrique produit une gamme d'adaptations encore plus étendue que celle de la sécrétion salivaire.

Les physiologistes ont coutume de négliger ces faits ou de les minimiser; mais on y attache de l'importance quand on veut s'assurer une meilleure digestion. Nous y reviendrons avec plus de détails dans les pages suivantes.

Avant de clore ce chapitre, notons que l'homme d'autrefois, tout comme les animaux inférieurs, devait éviter d'instinct les mauvaises combinaisons d'aliments, car des vestiges de ces pratiques instinctives subsistent encore. Mais, comme il a fallu allumer le flambeau de l'intelligence aux ruines de l'instinct, l'homme s'est vu contraint de chercher sa voie à travers un dédale d'influences et de circonstances pénibles, et par les méthodes maladroites de l'épreuve et de l'erreur. Du moins, en fut-il ainsi jusqu'à ce qu'on eût retrouvé suffisamment de principes valables qui permettent de marcher à la lumière du savoir. Dès lors, pourquoi ignorer une masse de connaissances physiologiques laborieusement accumulées sur la digestion ?

Pourquoi glisser sur ces sujets, comme en ont l'habitude les physiologistes professionnels ? Il nous incombe d'utiliser à plein et correctement ces connaissances. Puisque l'étude de la physiologie de la digestion peut nous amener à des pratiques alimentaires qui favorisent une meilleure digestion et, par là, une meilleure nutrition, seul l'insensé ne tiendra aucun compte de cette science et sous-estimera l'immense valeur qu'elle représente pour nous, dans la santé comme dans la maladie.

CHAPITRE III

LES COMBINAISONS D'ALIMENTS

Quelles sont les combinaisons d'aliments qui outrepassent l'action de nos enzymes ? Pour répondre à cette question, il nous faut considérer une à une les combinaisons possibles et discuter brièvement leurs rapports avec les phénomènes de la digestion que nous venons d'étudier. Une telle étude devrait être à la fois instructive et intéressante.

ACIDE - AMIDON

Nous avons vu qu'un acide faible détruit la ptyaline de la salive. Or, cette destruction a pour effet de suspendre la digestion de l'amidon. Le physiologiste Stiles écrit : « Si le mélange alimentaire est complètement acide au début, on ne voit pas comment la salive pourrait produire quelque hydrolyse (digestion enzymique de l'amidon) que ce soit. Nous avons pourtant l'habitude de manger des fruits acides avant le déjeuner de céréales, et il nous semble que tout passe bien. C'est que l'amidon échappant à cette phase de la digestion est réduit sous l'action du suc pancréatique, et le résultat final peut être quand même satisfaisant. Mais il est raisonnable de supposer qu'une action plus complète de la salive allégera d'autant la tâche des autres sécrétions et assurera davantage la perfection du travail digestif. »

Dans *Texbook of Physiology* (Manuel de physiologie), Howell affirme qu'un pourcentage de « 0,25 % d'acide chlorydrique (HCL) détruit rapidement la lipase gastrique ; de sorte que, si cette lipase remplit un rôle important dans la digestion gastrique, *son action, comme celle de la ptyaline, doit être limitée à la phase initiale de la digestion soit avant même que le contenu de l'estomac ait atteint son degré d'acidité normal.* » (Les soulignés sont de Shelton.)

L'acide oxalique dilué à raison de 1 partie pour 10,000 arrête complètement l'action de la ptyaline. Une ou deux petites cuillerées de vinaigre renferment assez d'acide acétique pour suspendre entièrement la digestion salivaire. Les acides des fruits suffisent à détruire la ptyaline de la salive et donc à suspendre la digestion des amidons. « Bien des gens — remarque à ce sujet le Dr Percy Howe, de Harvard, mais sans comprendre apparemment pourquoi — bien des gens qui ne peuvent manger d'oranges au repas s'en régalent avec profit quinze à trente minutes avant le repas. »

Tous les physiologistes admettent que les acides, même faibles détruisent la ptyaline. Donc jusqu'à ce qu'on démontre que la salive peut digérer les amidons en l'absence de la ptyaline, nous devrons insister sur l'indigestibilité des combinaisons acide-amidon. Quant à ceux qui, sans avoir jamais étudié sérieusement la nutrition, s'en vont affirmant à droite et à gauche que toute combinaison d'aliments est bonne à qui la désire et en a le goût, ce sont des ignorants ou des esprits prévenus qu'aveugle leur parti pris.

Pour nous, la règle est la suivante : *Manger acides et amidons à des repas séparés.*

Protéine - amidon

D'après Chittenden, un pourcentage de 0,003 % d'acide chlorydrique libre suffit à suspendre l'action de la ptyaline sur les amidons, et même une légère augmentation de l'acidité non seulement arrête cette action, mais détruit l'enzyme salivaire. Nous venons de citer Howell au sujet de la lipase gastrique et de la destruction de cette dernière par l'acide chlorydrique. Ici, seule nous intéresse la destruction de la ptyaline par le même acide.

Selon le physiologiste Stiles : « L'acide favorise grandement la digestion gastrique, mais la digestion salivaire ne peut le supporter. » De la pepsine, le même auteur écrit : « Le pouvoir de digérer les protéines ne se manifeste qu'en présence d'une réaction acide, mais ce pouvoir est réduit à zéro en présence d'un mélange nettement alcalin. Les conditions favorables à la digestion peptique sont donc précisément celles qui excluent l'action de la salive. » Toujours selon Stiles, la ptyaline « est extrêmement sensible à l'acide ; la forte acidité du suc gastrique ne peut donc qu'arrêter la digestion salivaire dans l'estomac ». De ce fait, la digestion des amidons se trouve suspendue. Dès lors, comment pourrons-nous jamais digérer les farineux ?

Voici la réponse à cette question. Le système digestif peut adapter ses sécrétions selon les exigences particulières des aliments, pourvu, évidemment, que nous respections les limites de ce mécanisme d'adaptation. Le Dr Richard C. Cabot, de Harvard, qui n'a jamais prôné ni combattu aucune méthode particulière de combinaisons, écrit : « Quand nous mangeons des hydrates de carbone, l'estomac sécrète un suc approprié, de composition différente de celui qu'il sécrète en présence des protéines. L'estomac répond ainsi à la demande qui lui est faite. C'est un de ces nombreux cas où des organes du corps, censément inconscients et dépourvus d'âme, opèrent un choix et prennent d'eux-mêmes une direction intelligente. » Retenons donc que *l'ingestion d'un aliment farineux détermine une sécrétion gastrique d'espèce différente de celle que réclame l'ingestion d'un aliment protéique.* (C'est Shelton qui souligne.)

Pavlov a montré : — que chaque sorte d'aliment provoque une activité particulière des glandes digestives ; — que l'efficacité du suc varie avec la qualité de l'aliment ; —

que des aliments différents réclament des modifications spéciales de l'activité des glandes ; — que le suc le plus fort jaillit au moment où il est le plus nécessaire.

L'ingestion de pain amène peu d'acide chlorydrique dans l'estomac, et le suc sécrété sur le pain donne une réaction presque neutre. Mais l'amidon du pain une fois digéré, un flot d'acide chlorydrique envahit l'estomac pour digérer les protéines du pain. Ainsi donc, la digestion des amidons et celle des protéines ne s'accomplissent pas simultanément avec efficacité, car le caractère des sécrétions et le moment propice de leur entrée en action doivent pouvoir s'adapter aisément et minutieusement aux exigences de l'aliment complexe ingéré.

Obtiennent ainsi réponse ceux qui font peu de cas des combinaisons, sous prétexte que « la nature offre dans le même aliment des éléments nutritifs différents ». C'est une tout autre chose, en effet, que la digestion d'un aliment, si complexe soit-il, et la digestion d'un mélange d'aliments différents. Pour un aliment unique de combinaison amidon-protéine par exemple, le corps peut facilement adapter ses sucs, quant à leur force et quant à leur entrée en action, suivant ce qu'exige l'assimilation de l'aliment. Mais l'ingestion de deux aliments aux exigences différentes et même opposées rend impossible cette adaptation précise. Si nous mangeons en même temps pain et viande, voici ce qui se produira : pendant les deux premières heures de la digestion, l'estomac, au lieu de recevoir un suc gastrique presque neutre, sécrétera immédiatement un suc fortement acide, et alors la digestion des amidons s'arrêtera presque instantanément.

N'oublions jamais que physiologiquement les premières phases de la digestion des amidons et des protéines s'opèrent en milieux opposés, l'amidon requérant un milieu alcalin, et la protéine, un milieu acide. A ce sujet, V.H. Mottram, professeur de physiologie à l'Université de Londres, affirme dans son ouvrage intitulé *Physiology*, qu'une fois l'aliment mis en présence du suc gastrique, aucune digestion salivaire n'est possible. « Le suc gastrique, écrit-il, digère les protéines, et la salive, les amidons. Il est donc évident que pour obtenir une digestion efficace, la viande (protéines) d'un repas doit venir d'abord et l'amidon ensuite, comme c'est habituellement le cas. La viande vient avant le pudding, car c'est ainsi qu'il convient de procéder. »

Mottram ajoute les explications suivantes : « Le mouvement de barattage qui mélange l'aliment au suc gastrique se produit dans l'extrémité inférieure de l'estomac... Dans la partie inactive de l'estomac, l'aliment est encore sous l'influence de la salive, mais cette influence ne s'étend pas à la partie où s'opère le barattage, puisque le contact avec l'acide du suc gastrique rend impossible toute action salivaire. » Autrement dit : si vous mangez votre protéine d'abord et votre amidon ensuite, la digestion de la protéine s'effectuera dans la partie inférieure de l'estomac, tandis que l'amidon sera digéré dans la partie supérieure.

Mais même en supposant qu'une ligne de partage des aliments existe dans l'estomac, il reste que généralement les gens ne consomment pas leurs protéines et amidons de la manière dont parle Mottram. C'est peut-être la coutume en Angleterre de consommer la viande au début du repas et le pudding à la fin, tout comme en Amérique nous prenons le dessert à la fin ; mais la pratique courante, ici comme ailleurs, semble bien de manger ensemble amidons et protéines. En effet, la plupart des gens prennent du pain avec leurs protéines. Sandwichs faits de saucisse dans un petit four (*hot-dog*), de jambon ou de viande hachée entre deux tranches de pain blanc ou bis (*ham on rye*), œufs et rôtie, voilà d'après quelles combinaisons de protéines-amidons la plupart des gens ont coutume de consommer ces aliments, avec le résultat que protéines et amidons se trouvent complètement mélangés dans les deux extrémités de l'estomac.

Howell exprime des vues semblables à celles de Mottram quand il écrit : « Il est fort important, en pratique, de savoir jusqu'où s'étend la digestion salivaire des farineux dans les conditions habituelles. La mastication devrait imbiber complètement les aliments de salive, mais le bol alimentaire est avalé beaucoup trop vite pour que l'enzyme puisse achever son action. D'autre part, le suc gastrique est suffisamment acide pour détruire la ptyaline. Ce qui faisait supposer autrefois que la digestion salivaire s'arrête au seuil de l'estomac et qu'elle n'a alors que peu d'importance comme opération digestive. Mais une meilleure connaissance du fonctionnement de l'estomac a, depuis, montré qu'une partie des aliments consommés à un repas ordinaire peut rester au fond de l'estomac une heure ou plus sans être atteinte par la sécrétion acide. On peut donc croire qu'une partie notable de la digestion salivaire peut se poursuivre dans l'estomac. »

Cette dernière remarque de Howell va de soi, mais elle ne vaut que pour une minime partie de l'aliment ingéré, surtout s'il s'agit des mélanges habituels, tels que pain et viande, pain et œufs, pain et fromage, pain et autres protéine, ou pommes de terre avec protéines. Quand on mange un petit four à la saucisse ou un sandwich fait de viande hachée, on n'absorbe pas d'abord la viande et ensuite le petit pain. Les deux sont pris en même temps, mastiqués et mélangés, puis avalés ensemble, et l'estomac ne possède pas, que je sache, de mécanisme pour séparer, dans sa cavité, ces substances intimement mêlées et les compartimenter.

La nature n'offre pas de tels mélanges, les animaux étant enclins à se nourrir d'un seul aliment par repas. Chose certaine, le carnivore ne mélange pas ses amidons avec ses protéines. Les oiseaux, eux, vont manger des insectes à un moment de la journée et des grains à un autre moment. Quant à l'homme, il ferait mieux de s'inspirer de cette conduite, car ce que suggère Mottram — manger protéines d'abord et amidons ensuite — ne saurait donner de résultat satisfaisant.

Les faits physiologiques que nous venons d'exposer nous dictent la deuxième règle que voici : *Manger les aliments protéiques et les hydrates de carbone (amylacés) à des repas séparés.*

En pratique donc, les farineux : céréales, pain, pommes de terre, etc., ne sont pas à prendre en même temps que les éléments protéiques : viande, œufs, fromage, fruits azotés, etc.

Protéine - protéine

La digestion efficace de deux protéines, différentes par la composition et le caractère, et associées à d'autres facteurs alimentaires, requière, de la part des sécrétions, une modification et un minutage propres à chaque protéine. Par exemple, le suc le plus fort agira sur la viande dans la première heure de la digestion, et sur le lait, dans la dernière heure. Ce minutage spécifique serait-il sans importance ? Habituellement nous ignorons ces faits auxquels, du reste, nos physiologistes n'ont attaché aucune importance. Mais comme les œufs ne reçoivent pas la sécrétion la plus forte au même moment que la viande ou le lait, il n'est que logique de ne pas les associer à la viande ou au lait. Quel dommage ne cause-t-on pas aux tuberculeux en leur servant l'abominable mélange fait d'œufs et de lait ! Notons en passant que, depuis des siècles, les Juifs orthodoxes s'abstiennent de manger viande et lait au même repas.

Le fait est que le processus de la digestion varie selon ce qu'exige la digestion de chaque aliment protéique, mais jamais au point de satisfaire, au même repas, aux exigences digestives de deux protéines différentes. Ce qui ne veut pas dire que nous ne puissions pas manger deux sortes de viandes ou deux sortes de fruits azotés au même repas, mais bien que nous devrions éviter les combinaisons viande et œufs, viande et fruits azotés, œufs et lait, œufs et fruits azotés, fromage et fruits azotés, lait et fruits azotés, etc. La digestion sera certainement plus efficace si on ne prend qu'un aliment protéique par repas.

Notre règle sera donc : *Ne manger à un même repas qu'un aliment contenant une protéine concentrée.*

A cela on objecte que les diverses protéines renferment des acides aminés différents ; que le corps en réclament une certaine proportion de chacun d'eux ; qu'il est donc nécessaire de consommer plus d'une protéine afin d'assurer à l'organisme un apport suffisant en acides aminés. Cette objection ne tient pas, car la plupart des gens font plus d'un repas par jour, et presque tout ce que nous mangeons contient des protéines. On ne doit donc pas consommer la totalité de ses protéines à un seul repas.

ACIDE - PROTÉINE

La pepsine réduit les protéines complexes en éléments simples, au cours d'un travail digestif ardu. C'est la première phase de la digestion de protéines. La pepsine n'agit qu'en milieu acide ; son action s'arrête en milieu alcalin. La composition du suc gastrique va du presque neutre au fortement acide, selon que l'exige l'aliment ingéré. Un suc gastrique acide accompagne l'ingestion de protéines, car il faut un milieu favorable à l'action de la pepsine.

Parce que la pepsine n'est active qu'en milieu acide, on a cru, à tort, que de prendre des acides au repas faciliterait la digestion des protéines. Bien loin d'aider cette digestion, les acides s'y opposent en empêchant le déversement du suc gastrique. Les acides médicamentaires et les fruits acides pertubent la digestion gastrique, soit en détruisant la pepsine, soit en empêchant sa sécrétion. La présence d'acide dans la bouche et l'estomac empêche le déversement du suc gastrique. Les expériences du célèbre physiologiste Pavlov ont clairement démontré l'influence perturbatrice des acides sur la digestion, peu importe que ces acides proviennent des fruits ou des sous-produits terminaux de la fermentation. En empêchant le flot de suc gastrique que réclame impérieusement la digestion des protéines, les fruits acides contrecarrent sérieusement cette digestion, et il en résulte de la putréfaction.

L'estomac normal sécrète tout l'acide que requiert la pepsine pour la digestion d'une quantité raisonnable de protéines. Un estomac anormal peut sécréter trop (hyperacidité) ou trop peu d'acide (hypoacidité). Dans un cas comme dans l'autre, on n'aide pas la digestion en prenant des acides avec les protéines. Quoique la pepsine ne soit active qu'en présence d'acide chlorydrique (je n'ai pas de preuves que d'autres acides favorisent l'action de cette enzyme), l'acidité gastrique excessive empêche son action, et même détruit cette enzyme.

Ces simples faits de la physiologie de la digestion nous dictent la règle suivante : *Manger les protéines et les acides à des repas séparés.*

L'examen du processus digestif des protéines et des effets inhibitifs des acides sur la sécrétion gastrique nous fait comprendre l'erreur de ceux qui consomment des jus de fruits acides, de tomates par exemple, avec de la viande, selon les recommandations de pseudo-diététiciens. Erreur aussi, cette pratique que prônent d'autres diététiciens de même compétence et qui consiste à battre des œufs dans un jus d'orange pour confectionner ce qu'on appelle un *pepcocktail.*

Le jus de citron, le vinaigre ou tout autre acide utilisé dans l'assaisonnement des salades et pris à un repas de protéines arrêtent brusquement la sécrétion chlorydrique et font obstacle à la digestion des protéines.

Les noix et le fromage pris avec des fruits acides ne forment pas une combinaison idéale, mais ces deux éléments peuvent faire exception à la règle précédente. Comme ils contiennent en abondance huile et graisse (crème), les noix et le fromage sont à peu près les seules exceptions à la règle selon laquelle les acides amènent la putréfaction des protéines. Quand ils ne sont pas digérés immédiatement, leur décomposition n'est pas aussi rapide que celle des autres protéines. De plus, les acides ne retardent pas leur digestion, car ces aliments renferment assez de graisse pour que celle-ci suspende la sécrétion gastrique au-delà de l'effet des acides.

GRAISSE - PROTÉINE

Dans *Physiology in Modern Medecine* (Médecine moderne et Physiologie), McLeod écrit : « On a démontré que la graisse inhibe d'une manière spéciale les sécrétions du suc gastrique... la présence d'huile dans l'estomac retarde l'effusion du suc gastrique sur un repas subséquent qui, sans cela, se digérerait aussitôt. » Voilà une vérité physiologique importante dont on a rarement compris la signification profonde. La plupart de ceux qui écrivent sur les combinaisons alimentaires ignorent les effets nocifs de la graisse sur la sécrétion gastrique.

La présence de graisse dans l'aliment : — réduit le volume de la sécrétion gastrique déclenchée par l'appétit, — diminue la quantité de « sécrétion chimique » versée, — ralentit l'activité des glandes gastriques, — abaisse la quantité de pepsine et d'acide chlorydrique dans le suc gastrique, — et peut abaisser le tonus gastrique dans la proportion de 50 %. Cet effet inhibitoire de la graisse peut durer deux heures ou plus.

Donc, on devrait éviter la graisse au repas comportant un aliment protéique. Autrement dit, on ne doit pas consommer d'aliments tels que crème, beurre, huiles variées, sauces, viandes grasses, etc., à un repas fait de noix, de fromage, d'œuf, de chair comestible. Notons ici que les aliments contenant normalement de la graisse, tels les noix, le fromage, le lait, sont de digestion plus lente que les aliments protéiques dépourvs de graisse.

Voici donc notre quatrième règle : *Manger les corps gras et les protéines à des repas séparés.*

Notons qu'une abondance de légumes verts, surtout crus, neutralise l'effet inhibitif de la graisse ; on peut donc neutraliser cet effet de la graisse sur la digestion de la protéine en consommant beaucoup de verdures au repas.

SUCRE - PROTÉINE

Tous les sucres ont un effet inhibitif sur la sécrétion du suc gastrique et sur l'activité de l'estomac. Voilà qui explique la recommandation que les mamans font à leurs enfants de ne pas manger de sucreries avant le repas, parce que celles-ci « gâtent l'appétit ». En effet, les sucres pris avec les protéines entravent la digestion protéique.

Les sucres ne sont digérés ni dans la bouche, ni dans l'estomac, mais dans l'intestin. Pris seuls, ils restent peu de temps dans l'estomac et passent rapidement dans l'intestin. Associés à d'autres aliments, protéiques ou farineux, ils demeurent plus longtemps dans l'estomac, où ils attendent que se fasse la digestion de ces aliments. Et c'est là qu'ils fermentent.

Ces simples faits nous amènent à formuler la règle que voici : *Manger les sucres et les protéines à des repas séparés.*

SUCRE - AMIDON

La digestion de l'amidon, qui commence normalement dans la bouche, se continue, si les conditions sont favorables, quelques temps dans l'estomac. Or, les sucres ne subissent de digestion que dans l'intestin grêle. Consommés seuls, ils passent rapidement de l'estomac dans l'intestin. Pris avec d'autres aliments, ils restent quelque temps dans l'estomac, attendant la digestion de ces aliments ; comme ils ont tendance à fermenter très vite, vu la chaleur et l'humidité de l'estomac, il y a risque à peu près certain de fermentation acide.

Les gelées, confitures, préparations de fruits, sucres du commerce (blanc ou brun, de betterave, de canne, sucre lactique), le miel, les mélasses et sirops, etc..., ajoutés aux gâteaux, pains, pâtisseries, céréales, pommes de terre, etc..., produisent de la fermentation. Avec une régularité qui serait amusante si elle n'était tragique, des millions de nos contemporains déjeunent de céréales et de sucre et souffrent aussi d'acidité stomacale, d'éructations, d'aigreurs et autres signes évidents d'indigestion. En mangeant des fruits doux avec un farineux, on s'expose à souffrir des effets de la fermentation. Les pains aux dattes, aux raisins secs, aux figues, etc..., en faveur auprès des habitués des boutiques d' « alimentation saine », sont des abominations diététiques. D'autre part, nombre de gens qui s'intéressent à la vie saine croient bien faire en utilisant le miel au lieu du sucre. Vainement. Miel et petits pains, sirop et petits pains... produiront presque certainement une fermentation.

Il semble avéré que la présence du sucre oppose un obstacle certain à la digestion de l'amidon. Le fait de prendre du sucre libère un flot de salive; mais cette salive ne contient pas de ptyaline, puisque la ptyaline n'agit pas sur le sucre. Que l'amidon soit recouvert d'une enveloppe sucrée, c'est assez pour empêcher l'adaptation de la salive à la digestion de l'amidon. Il y aura alors très peu ou même absence de sécrétion de ptyaline, et la digestion des amidons s'en trouvera suspendue.

Le major Reginald F.E. Austin, médecin, affirme : « Des aliments sains, soit en eux-mêmes, soit en certains mélanges, ne s'accordent souvent pas s'ils sont mangés selon certaines combinaisons. Par exemple, le pain et le beurre pris ensemble ne causent pas de troubles digestifs, mais ajoutez-y du sucre, de la confiture ou de la marmelade, et il peut s'ensuivre un dérangement. C'est que le sucre sera traité en premier par les sécrétions digestives, et la conversion de l'amidon en sucre s'en trouve retardée. Des mélanges d'amidon et de sucre peuvent provoquer la fermentation avec ses séquelles ».

En tenant compte de ces faits, nous établissons la règle: *Manger amidons et sucres à des repas séparés.*

Les melons

Bien des gens se plaignent de ne pouvoir supporter les melons. Certains disent d'un air entendu qu'ils y sont allergiques. Pour ma part, j'ai fait manger quantité de melons à des centaines de ces personnes et j'ai pu constater que non seulement les melons ne leur causaient aucun malaise, mais que leur prétendue allergie n'existait que dans leur imagination. Le melon est un aliment tellement sain et digestible que même les estomacs les plus débiles peuvent très bien le tolérer.

En fait, il arrive souvent que l'ingestion de melons a pour suite des dérangements et même des malaises pénibles. La raison en est que cet aliment ne subit aucune digestion dans l'estomac. La petite digestion qu'il réclame se fait dans l'intestin. Si le melon est pris correctement, il ne sera retenu dans l'estomac que l'espace de quelques minutes et passera ensuite dans l'intestin. Mais le melon sera maintenu dans l'estomac s'il est pris avec d'autres aliments qui exigent un séjour prolongé dans l'estomac pour fins de digestion salivaire et gastrique. De même qu'il se décompose très rapidement une fois entamé, coupé et exposé à la chaleur, de même il risque de donner beaucoup de gaz et de malaises s'il est pris avec la plupart des autres aliments.

J'ai eu un malade qui se plaignait de violents maux de ventre, de gaz et d'autres malaises chaque fois qu'il mangeait du melon. Il se désolait de ne pouvoir en manger parce que les melons ne lui allaient pas. Pourtant, je parvins à lui en faire manger en quantité, sans qu'il en éprouvât ni gaz, ni douleur, ni dérangement. Comment cela ? En lui en faisant manger à l'exclusion de tout autre aliment. On lui en donna à satiété de telle sorte qu'il put faire son repas uniquement de melons. Tout de suite il découvrit que le melon lui allait bien et qu'il n'y était aucunement allergique.

De ces faits, nous tirons la règle : *Manger les melons seuls.*

Les melons de toutes les espèces doivent être absorbés seuls. On ne devrait pas les manger entre les repas, mais au moment du repas. Un repas de melons est un délice.

J'ai essayé d'associer au même repas melons et fruits frais. Il ne paraît y avoir rien qui s'oppose à cette combinaison si on la désire.

Le lait

La nature veut que les petits des mammifères prennent leur lait seul. En effet, dans la première période de leur existence, les jeunes mammifères ne prennent pas d'autre aliment que le lait. Puis, vient un temps où ils absorbent du lait et d'autres aliments, mais séparément. Enfin, après leur sevrage, ils ne prennent plus jamais de lait. Le lait, aliment du bébé, n'est d'aucune nécessité quand a pris fin la période normale de l'allaitement. L'industrie laitière et la profession médicale proclament que nous avons besoin d'une pinte (litre) de lait par jour, et cela jusqu'à la fin de notre vie, comme si, jamais sevrés, nous devions demeurer d'éternels nourrissons. Cette réclame commerciale ne correspond à aucun besoin naturel de l'homme.

En raison des protéines et de la matière grasse (crême) qu'il recèle, le lait se combine pauvrement avec tous les aliments. Toutefois, il se combine assez bien avec les fruits acides. Quand il pénètre dans l'estomac, le lait se coagule en grumeaux. Ces grumeaux tendent à enrober les particules des autres aliments de l'estomac, les isolant ainsi du suc gastrique, ce qui empêche leur digestion jusqu'à ce que le caillé soit digéré.

D'où notre règle pour le lait : *Prendre le lait seul, ou n'en point prendre du tout.*

Aux petits enfants nourris au lait, on peut faire prendre un repas de fruits ; puis, une demi-heure après, leur donner du lait. Mais le lait ne doit pas être pris avec les fruits, excepté les fruits acides. Les Juifs orthodoxes observent une excellente règle en refusant de consommer du lait avec de la viande. Mais l'emploi du lait avec des céréales ou tout autre amidon est également blâmable.

Les desserts

D'habitude, on garde les desserts pour la fin du repas, soit au moment où la faim a disparu, parce que trop souvent on a mangé plus qu'il ne fallait. Ces desserts, tels que gâteaux (pâtisseries), tartes, puddings, crèmes glacées, fruits en compotes, etc..., se combinent mal avec presque tous les autres mets du repas. Ils ne servent à rien de bon et ne sont pas à conseiller.

La règle suivante s'impose à leur sujet : *Délaisser les desserts.*

Le Dr Tilden avait coutume de conseiller de manger une copieuse salade de légumes crus, et rien d'autre, avec une pointe de tarte, et ensuite d'omettre le repas suivant. A ce propos, le Dr Harvey W. Wiley observa un jour qu'il ne s'agit pas de mettre en doute la valeur alimentaire de la tarte, mais bien d'assumer sa digestion. Prise à un repas régulier, comme c'est la coutume, la tarte ne se digère certainement pas bien. La même remarque peut s'appliquer aux autres desserts. Quant aux desserts froids, comme les glaces, ils interposent un obstacle de plus à la digestion, celui du froid.

Chapitre IV

LA DIGESTION « NORMALE »

La fermentation gastro-intestinale

Dans *Textbook of Physiology* (Manuel de Physiologie), Howell affirme que la putréfaction des protéines dans le gros intestin est un fait constant et normal ». Il écrit : « Reconnaissant que la fermentation gastro-intestinale due aux bactéries est un fait normal, on s'est demandé si ce processus pouvait être de quelque façon nécessaire à la digestion normale et à la nutrition. » Howell s'étend longuement sur cette question et rappelle les expériences auxquelles elle a donné lieu, mais il ne tire aucune conclusion définitive, si ce n'est celle-ci qui résume sa pensée : « Il paraît raisonnable d'admettre, conformément à l'opinion traditionnelle, que si la présence de bactéries n'apporte aucun avantage positif, l'organisme, dans les conditions habituelles, s'adapte et neutralise la nocivité de leur action. »

Howell montre bien que les bactéries de putréfaction réduisent les protéines en acides aminés, mais que là ne s'arrête pas leur action. Elles détruisent ces mêmes acides et produisent, au terme de leur action, certains poisons, tels l'indol, le scatol, le phénol, l'acide phénylproprionique, le dioxyde de carbone, le sulfite d'hydrogène, etc. Il ajoute qu' « une part de ces produits est rejetée avec les selles, tandis qu'une autre est absorbée et excrétée ensuite dans l'urine ». Howell termine en disant que « d'autres substances plus ou moins toxiques, du groupe des aminés, résultent certainement de l'action ultérieure des bactéries sur les acides aminés dans la molécule protéique ».

...Phénomène normal ou anormal ?

Il semble illogique de supposer qu'un tel processus de toxicité serait normal ou nécessaire à la digestion. D'après moi, Howell et bien d'autres physiologistes se sont tout simplement mépris en acceptant comme normal un phénomène commun et quasi universel, du moins dans notre monde civilisé. Ces physiologistes n'ont pas cherché à remonter aux causes de la fermentation et de la putréfaction dans le tube digestif. Sources d'empoisonnement, la fermentation et la putréfaction gastro-intestinales le sont, et ils l'admettent. Howell va même jusqu'à écrire : « Il est reconnu qu'une action excessive des bactéries peut amener des troubles intestinaux tels que la diarrhée, ou même nuire plus gravement à la nutrition en produisant des toxines comme les aminés. » Mais Howell se garde bien de définir ce qu'il entend par « action excessive des bactéries ».

Je prétends toujours que c'est une aberration d'accepter comme normales de simples constatations routinières. Il ne suffit pas, en effet, de constater que la putréfaction des protéines est presque générale dans le côlon du civilisé actuel pour conclure à la normalité de ce phénomène. Il faut d'abord se demander pourquoi la putréfaction des protéines est si courante, et trouver la réponse à cette question. Il serait bon aussi de chercher à savoir si la putréfaction est utile à quelque chose.

Causes et effets de la fermentation

D'où viennent donc cette fermentation et cette putréfaction, communes de nos jours ? Ne seraient-elles pas dues à la suralimentation, à l'ingestion de protéines impropres, à de mauvaises combinaisons alimentaires, à l'alimentation prise dans des états physiques et émotifs (fatigue, travail, souci, crainte, anxiété, douleur, fièvre, inflammation, etc.) qui retardent ou arrêtent la digestion ? Ou bien, cette fermentation et cette putréfaction ne résulteraient-elles pas d'une digestion dérangée par une cause quelconque ? Devrons-nous toujours considérer comme intangibles et accepter comme normales les modes alimentaires actuelles? Pourquoi donc admettre comme normal ce qui caractérise une race de malades et d'affaiblis ?

Accepter comme un phénomène normal la putréfaction dans le côlon de l'homme, c'est admettre que sont normales des selles nauséabondandes, liquides, dures et compactes, des selles caillouteuses ; normaux aussi, les gaz putrides, les côlites, les hémorroïdes, les selles saignantes ; normal, l'usage du papier de toilette et de tant d'objets qui encombrent la vie de tous les jours. Le refrain qu'on nous chante sur tous les tons revient à ceci : la coutume est toujours sage.

Qu'il y ait des animaux dont les intestins ne révèlent pas de putréfaction protéique, qu'il existe des humains dont l'alimentation et les habitudes de vie donnent des selles inodores et fassent éviter les gaz, qu'une modification des habitudes de vie entraîne une différence dans les effets tout cela ne paraît guère impressionner les physiologistes pour qui seuls les coutumes régnantes méritent considération. Howell, pour sa part, accepte comme normal l'état septique qui affecte le côlon de l'homme, et semble ignorer tout des causes qui produisent et maintiennent cet état.

Du système digestif le flux sanguin devrait recevoir de l'eau, des acides gras, du glycérol, des monosaccharides, des minéraux et des vitamines, et non pas de l'alcool, de l'acide acétique, des ptomaïnes, des leucomaïnes, du sulfite d'hydrogène, etc... Autrement dit, le système digestif devrait fournir des substances nutritives et non des poisons.

Les amidons et les sucres complexes, une fois digérés, deviennent, sous forme de sucres simples ou monosaccharides, des substances utilisables, donc nutritives. Mais s'ils subissent une fermentation, ils sont alors réduits en bioxyde de carbone, acide acétique, alcool et eau, toutes substances qui, l'eau exceptée, sont inutilisables, donc toxiques. Les protéines digérées deviennent des acides aminés, substances utilisables, nutritives. Qu'elles se putréfient, et alors elles produisent une variété de ptomaïnes et de leucomaïnes, substances inutilisables, toxiques. Il en va de même des autres facteurs alimentaires : leur digestion enzymique prépare à l'organisme des substances utilisables, tandis que leur décomposition bactérienne les rend impropres à toute utilisation. Comme produit final, la première opération donne des éléments nutritifs, la seconde, des poisons.

Dès lors, à quoi bon consommer chaque jour un nombre de calories minutieusement calculé, si l'aliment fermente et se putréfie dans le tube digestif ? Les aliments ainsi gâchés ne donnent aucune calorie au corps. Que gagne-t-on à absorber en abondance des protéines de première valeur si celles-ci se putréfient ? Elles sont alors rendues impropres à leur entrée dans l'organisme et ne libèrent pas leurs acides aminés.

D'aliments riches en vitamines, mais qui se décomposent dans l'estomac et les intestins, quel profit retirer ? De tels aliments ne fournissent pas de vitamines à l'organisme. De quelle valeur nutritive peut bien être une alimentation riche en minéraux si elle pourrit dans le canal digestif ? Car alors, cette alimentation est rendue impropre et ne fournit pas de minéraux au corps.

Les hydrates de carbone qui fermentent dans le système digestif sont changés en alcool et en acide acétique, non en monosaccharides. Les graisses qui rancissent dans l'estomac et les intestins ne fournissent au corps ni acides gras ni glycérol. Bref, pour nourrir, les aliments doivent être digérés, non pourris.

A propos du phénol, de l'indol et du scatol, Howell fait remarquer qu'après son absorption, le phénol (acide phénique) se combine en partie avec l'acide sulfurique pour former un sulfate d'éther ou acide phénolsulphonique que l'urine élimine sous cette forme. Et il ajoute : « Il en est de même du crésol. » L'indol et le scatol, après leur absorption, sont oxydés et deviennent indoxyl ou scatoxyl, puis, tout comme le phénol, se combinent à l'acide sulfurique et passent dans l'urine sous forme d'acide indoxyl-sulfurique ou scatoxyl-sulfurique selon le cas. Le dosage plus ou moins élevé de ces poisons dans l'urine est un indice du degré de putréfaction intestinale.

Certes, l'organisme peut tolérer ces poisons, comme il en tolère bien d'autres; mais il est inconcevable de supposer, comme le fait Howell, que « l'organisme adapte et, dans les conditions habituelles, neutralise » ces produits de l'activité bactérienne. Quoiqu'il en soit, le malaise dû à l'accumulation de gaz dans l'abdomen, la mauvaise haleine provenant de la fermentation et de la putréfaction gastro-intestinales, l'odeur fétide et désagréable des selles et des gaz qui en résultent, tous ces mauvais effets sont aussi malvenus que les poisons.

Qu'il soit possible d'avoir une haleine pure et suave, possible aussi de se libérer de la pression des gaz et d'avoir des selles inodores, cela passe pour aller de soi. Pour ma part, je pense qu'au lieu de supposer normal, voire nécessaire un phénomène courant, il serait sage d'en examiner les causes avant de décider si, oui ou non, ce phénomène est normal.

S'il est possible d'écarter les mauvais effets de la fermentation et de la putréfaction, possible aussi d'éviter l'empoisonnement qui en résulte et d'épargner à l'organisme l'embarras que causent l'oxydation et l'élimination des toxines, il me semble éminemment désirable de le faire. Si on admet que « l'action excessive des bactéries » peut produire la diarrhée et même nuire gravement à la digestion, que pouvons-nous attendre de l'action prolongée des bactéries, sinon une activité « excessive » ? Pareille question me semble fort pertinente.

Comme on l'a vu plus haut, tous les facteurs qui réduisent le pouvoir digestif, qui ralentissent les opérations de la digestion et suspendent temporairement la fonction favorisent l'activité bactérienne. Se suralimenter (manger plus de nourriture que n'en peuvent dissoudre nos enzymes), manger en état de fatigue, ou juste avant de commencer un travail, ou lorsque le corps a froid ou trop chaud, manger en état de fièvre, dans la douleur, ou lorsqu'on souffre d'une grave inflammation, ou qu'on n'a pas faim, ou qu'on est soucieux, anxieux, apeuré, en colère, etc., manger en pareilles circonstances favorise la décomposition bactérienne des aliments. L'usage des condiments, du vinaigre, de l'alcool et autres substances qui retardent la digestion favorise l'activité bactérienne. L'analyse attentive des habitudes alimentaires actuelles nous fournit de multiples raisons qui expliquent la généralisation du phénomène de la fermentation et de la putréfaction grastro-intestinales chez le civilisé. Mais de là à prétendre que ce résultat de l'activité bactérienne est normal, voire nécessaire, il y a une marge !

Les causes des insuffisances et carences digestives sont légion. Une des plus répandues en Amérique consiste à mal combiner ses aliments. On ignore que l'action des enzymes a des limites et on mange au petit bonheur. Il n'en faut pas davantage pour expliquer l'état d'indigestion plus ou moins constant dont presque tout le monde souffre. A preuve : dès qu'on sait combiner ses aliments, l'indigestion disparaît.

Qu'on me comprenne bien. Même en combinant correctement vos aliments, vous ne ferez qu'atténuer sans la guérir tout à fait, votre indigestion si elle est partiellement due à d'autres causes. Par exemple, si les soucis vous rongent au point d'affecter votre digestion, il faudra d'abord vous libérer de vos soucis pour que la digestion puisse reprendre son cours normal. Mais on en conviendra les soucis qui s'ajoutent à de mauvaises combinaisons d'aliments ne pourront qu'aggraver l'état d'indigestion.

Rex Beach, qui fut jadis chercheur d'or, écrit à propos de son aventure en Alaska : « Nous mangions énormément de pain à levure, de haricots mal cuits et de porc frais. Sitôt descendues dans l'estomac, ces victuailles nous livraient une guerre intestine. Le véritable appel de la solitude, ce n'était pas le hurlement du loup, le rire fou du plongeon, ou le cri de l'élan mâle en rut, c'était le rot dyspeptique du chercheur d'or. »

Nos physiologistes, ignorant la cause d'un pareil état de choses, trouveraient sans doute normaux ce « rot du chercheur d'or », sa dilatation abdominale, ses malaises, les selles nauséabondes et les gaz abondants qui résultent de la décomposition gastro-intestinale. Si le chercheur d'or n'avait pas de poudres ou de sels alcalins pour pallier ses malaises et s'encourager à de nouvelles imprudences, il lui restait toujours comme moyen de soulagement le recours au vomissement, qu'il provoquait en s'enfonçant un doigt dans la gorge. Il va sans dire qu'à ce régime, la constipation, alternant avec la diarrhée était chose courante.

On dépense annuellement des millions en médicaments pour remédier temporairement aux malaises et douleurs qui résultent de la décomposition gastro-intestinale des aliments. Le peuple américain en particulier consomme des trains entiers de produits chimiques destinés à neutraliser l'acidité, à résorber les gaz, à soulager la douleur, à traiter même le mal de tête dû à l'irritation gastrique. On emploie encore d'autres substances, comme la pepsine, pour aider à la digestion.

Bien loin de considérer ces faits comme normaux, les hygiénistes trouvent qu'ils sont absolument anormaux. Le bien-être et le confort sont des signes de santé, non les maux, ni les douleurs. Aucun signe ou symptôme de maladie n'accompagne une digestion normale.

Chapitre V

LE REPAS DES PROTÉINES

C'est un fait admis chez les physiologistes que le caractère du suc digestif correspond à la nature de l'aliment et que chaque aliment appelle cette modification spécifique. D'où il suit, évidemment, que les mélanges compliqués diminuent grandement l'efficacité de la digestion et que les repas simples sont de digestion plus facile, donc plus profitables. Or, nos routines alimentaires violent toutes les règles d'association que nous avons vues au chapitre III.

La grande majorité des gens tâchent de vivre au moins quelques années et de jouir tant bien que mal de la vie en dépit des ennuis que leur causent leurs fréquentes maladies. C'est le petit nombre qui consent à se soucier avec intelligence de ses habitudes alimentaires. Si vous soulevez cette question des combinaisons, la plupart vous affirmeront d'ordinaire qu'ils mangent régulièrement de tous les mélanges condamnés sans en ressentir de malaises. Vie et mort, santé et maladie semblent pour eux le fait du hasard. A vrai dire, leurs conseillers médicaux ne les encouragent que trop dans cette voie.

Une expérience de plusieurs décennies dans l'alimentation de toutes les catégories de personnes m'a persuadé qu'on améliore immédiatement sa santé lorsqu'on renonce aux mauvaises pour adopter les bonnes combinaisons. On allège alors le fardeau que supportent les organes digestifs et l'on assure une meilleure digestion, une amélioration de la nutrition et une atténuation de l'empoisonnement. L'expérience m'a démontré aussi que de la sorte fermentation et putréfaction, gaz et malaises diminuent sensiblement. L'importance et la valeur de cette expérience reposent solidement sur les principes que j'ai exposés dans les pages précédentes. Les règles des combinaisons alimentaires qu'on y trouve ont subi l'épreuve de l'expérience et méritent certainement plus qu'une attention superficielle.

Pour une bonne part, le massacre annuel des amygdales chez les enfants a pour cause la fermentation constante qui résulte — on le sait maintenant — d'une alimentation régulièrement composée de viande et de pain, de céréales et de sucre, de biscuits, de galettes et de fruits, etc. Tant et aussi longtemps que les parents n'apprendront pas à nourrir leurs enfants en respectant, comme il se devrait, les limites de l'action des enzymes ; aussi longtemps qu'ils continueront de leur donner les prétendus « repas équilibrés » en vogue de nos jours, leurs enfants ne cesseront de souffrir non seulement d'amygdalite, mais encore de gastrite (indigestion), de diarrhée, de constipation, de fièvre, de poliomyélite et d'autres maladies infantiles.

Que mange-t-on ordinairement ? Des mélanges de pain et de viande, des sandwichs et autres aliments qui associent pain et œufs, pain et fromage, pommes de terre et viande, pommes de terre et œufs (œufs dans une salade de pommes de terre, par exemple), céréales et œufs (habituellement au petit déjeuner), etc. Et il n'est pas question ici de manger la protéine d'abord et l'hydrate de carbone ensuite. C'est pêle-mêle et sans aucune sélection que ces aliments sont ingérés. La façon habituelle de déjeuner consiste à prendre la céréale en premier, d'ordinaire avec lait ou crème et sucre, puis un œuf sur une rôtie. A examiner le petit déjeuner de la plupart des gens, on n'a pas à s'étonner qu'il soit régulièrement suivi d'indigestion et que prospère le commerce de Bromo-Seltzer, Alkaseltzer, Tums, poudres, bicarbonate, et autres produits de cette sorte.

Certains mets d'origine italienne, très en vogue de nos jours, renferment des mélanges tels que spaghetti et boulettes de viande, spaghetti et fromage, spaghetti et ravioli. D'habitude on sert les spaghettis avec de la sauce aux tomates et du pain blanc. La petite salade hachée qui les accompagne est assaisonnée d'huile d'olive, de vinaigre et de beaucoup de sel. On sert souvent d'autres assaisonnements avec la salade. Habituellement aussi s'ajoute à cet abominable mélange le plain blanc. Dans les milieux plus modestes, on sert de la margarine. Bière ou vin arrosent fréquemment un tel repas.

A la radio ou à la télévision, l'annonceur suggère aux pauvres victimes d'habitudes alimentaires aussi antiphysiologiques de recourir à l'un ou l'autre des palliatifs recommondés aux gens qui souffrent d' « acidité d'estomac ». Mais on ne laisse jamais entendre qu'un tel usage consolide des habitudes nocives et prédispose infailliblement à des troubles sérieux. « Les grands chênes proviennent de petits glands », dit un vieux proverbe ; mais en pathologie, ceux qui sont censés savoir ne reconnaissent pas le bien-fondé de ce proverbe.

Puisque, d'après la physiologie, les premières phases de la digestion des amidons et des protéines se situent en milieux opposés, — les amidons en milieu alcalin et les protéines en milieu acide, — ces deux types d'aliments ne devraient certainement pas être pris au même repas.

C'est un fait bien connu des physiologistes que les amidons non digérés absorbent la pepsine. Il est donc à prévoir que l'ingestion d'amidons et de protéines au même repas retardera la digestion de ces dernières. Des expériences auraient démontré la brièveté de ce retard, qui ne serait que de quatre à six minutes. Cette conclusion ne s'impose pas. En effet, si le résultat d'une telle combinaison ne retarde que de quatre à six minutes la digestion des protéines, comment expliquer qu'on trouve tant de protéines non digérées dans les selles de ceux qui absorbent de tels mélanges ? Pour ma part, je suis convaincu que l'amidon nuit à la digestion des protéines beaucoup plus que ces expériences ne l'indiquent. Les adversaires de notre système de combinaisons tentent d'attirer toute l'attention sur les protéines. Ils s'appuient sur les résultats des expériences susmentionnées pour rejeter la règle qui condamne le mélange protéine - hydrate de carbone, mais ils évitent avec soin toute allusion à l'arrêt de la digestion des amidons qu'entraînent pareils mélanges.

Nous avons vu au chapitre III qu'il est imprudent de consommer plus d'une sorte de protéine à un repas. En effet, manquer à cette règle non seulement complique et retarde la digestion, mais encore pousse à faire abus de protéines. De nos jours, la tendance est d'exagérer le besoin d'aliments protéiques et d'en encourager l'excessive consommation. C'est une erreur contre laquelle je mets en garde. Elle nous ramène à l'alimentation erronée d'il y a un demi-siècle. Preuve qu'en alimentation, les manies semblent vraiment tourner en rond.

Les sécrétions que provoque l'ingestion de chaque aliment sont d'espèces si différentes que Pavlov distingue le « suc du lait », le « suc du pain », et le « suc de la viande ». Des protéines différentes de caractère et de composition réclament des sucs digestifs de types différents. Ces sucs, qui diffèrent en force et en caractère, sont versés dans l'estomac à des moments distincts. D'après Khizline, un des collaborateurs de Pavlov, l'importance de la sécrétion des glandes digestives ne tient pas seulement « à l'action spécifique du suc, mais encore à l'horaire et à la quantité totale de son débit ». Le caractère de l'aliment ne détermine pas seulement la force digestive du suc sécrété, mais aussi son acidité totale ; l'acidité est plus forte avec la viande, moindre avec le pain. Il y a également un ajustement merveilleux du suc quant au temps et à la durée. Le suc le plus fort jaillit dès la première heure pour la viande, à la troisième heure pour le pain, à la dernière heure pour le lait.

A l'ingestion de chaque sorte d'aliment correspond une certaine mesure horaire de sécrétion ; c'est pourquoi l'action variée des sucs a des limites caractéristiques. En conséquence, on ne devrait certainement pas consommer au même repas des aliments qui réclament des sécrétions digestives nettement différentes, comme, par exemple, le pain et la viande. Pavlov a démontré qu'à quantité égale de protéines, le pain reçoit cinq fois plus de pepsine que le lait, et que l'azote de la viande en réclame plus que le lait. Ces différentes sortes d'aliments reçoivent la quantité d'enzymes qui correspond à leur degré de digestibilité. A poids égal, c'est la viande qui demande le plus de suc gastrique, et le lait qui en demande le moins ; mais, à quantité égale d'azote, c'est le pain qui en requiert le plus, et la viande le moins.

Tous ces faits, les physiologistes les connaissent bien, mais ils n'ont jamais tenté d'en faire quelque application que ce soit. A vrai dire, quand ils condescendent à les discuter en relation avec les problèmes concrets de la vie, comme l'alimentation, ils ont tendance à glisser rapidement sur le sujet et à présenter des semblants de raisons pour justifier la continuation des fantaisies alimentaires en vogue. Ils sont portés à considérer comme normaux les méfaits immédiats de modes alimentaires aussi insensées que celles que nous avons vues au chapitre précédent.

Les effets inhibitifs des acides, des sucres et des graisses sur la sécrétion digestive suggèrent de ne pas mélanger ces aliments avec des protéines. Examinons brièvement chacune de ces combinaisons.

Consommer des graisses avec des protéines n'est pas à conseiller, puisque la graisse retarde de deux heures et même plus la digestion des protéines. La présence de graisse dans les viandes grasses, dans les viandes frites et les œufs frits, dans le lait, les noix et autres aliments de cette catégorie ralentit probablement la digestion de ces aliments plus que dans le cas des rôtis maigres ou des œufs pochés. Les viandes grasses et les viandes frites en particulier peuvent occasionner des troubles digestifs. Nous devrions nous faire une règle de *ne manger de graisse d'aucune sorte avec nos protéines.*

Toutefois, en consommant beaucoup de légumes verts, surtout crus, on peut neutraliser l'effet inhibitif de la graisse. Le chou cru est particulièrement efficace à cet égard. Pour la même raison, il serait mieux de consommer des légumes verts avec le fromage ou les noix que de les prendre avec des fruits acides, bien que ce ne soit pas particulièrement à déconseiller.

Par leur effet inhibitif à la fois sur la sécrétion et la mobilité gastriques, les sucres s'opposent eux aussi à la digestion des protéines. De plus, les sucres ne subissent aucune digestion dans la bouche et l'estomac. Ils y sont maintenus pendant la digestion des protéines, et c'est là qu'ils commencent à fermenter. On ne doit donc *pas manger de protéines et de sucres au même repas,* quelle que soit la qualité des sucres. Le Dr Norman a démontré par des expériences que le fait de prendre de la crème et du sucre après un repas retarde la digestion de plusieurs heures.

Tous les acides empêchent la sécrétion du suc gastrique et s'opposent ainsi à la digestion des protéines, à l'exception du fromage, des noix et des avocats. Ces trois aliments contiennent de la crème et de l'huile, qui inhibent la sécrétion du suc gastrique autant et aussi longtemps que les acides, mais les acides ne dérangent pas leur digestion de façon appréciable.

Les aliments les plus aptes à se combiner avec des protéines sont les succulents légumes non amylacés. On en trouvera une liste au chapitre I.

Les légumes suivants se combinent pauvrement avec les protéines : betterave, navet, potiron, carotte, salsifis, chou-fleur, chou-rave, rutabaga, fève, pois, topinambour, pomme de terre, patate douce. Légèrement amylacés, ces légumes trouvent leur place dans un repas farineux. Les haricots et les pois contiennent à la fois protéine et amidon ; il vaut donc mieux les consommer comme amidon ou comme protéine et les combiner avec des végétaux verts, sans autre protéine ou amidon. Les pommes de terre sont suffisamment farineuses pour former la partie principale du repas amylacé.

Menus-types

On trouvera ci-après 42 menus-types de repas protéiques correctement combinés. On suggère de réserver pour le soir le repas de protéines. On ne doit pas prendre d'acides, d'huiles, ni d'assaisonnements huileux avec le repas protéique. Pour les quantités, on tiendra compte des besoins et de la capacité digestive de chacun.

A noter que chacun des 42 menus comporte une laitue en plus des aliments indiqués après chaque numéro. Variez la sorte de laitue.

LAITUE	LAITUE	LAITUE
1. Courgette Épinards Noisettes	2. Chou chinois Courge jaune Avocat	3. Épinards Courge verte Fromage blanc maison
4. Bette Asperges Noisettes	5. Feuilles vertes de moutarde Haricots verts Avocats	6. Feuilles de betterave Pois verts Fromage blanc maison
7. Asperges Courge jaune Noisettes	8. Feuilles de navet Petits pois verts Avocat	9. Courge jaune Brocoli Fromage blanc maison
10. Brocoli Blé d'Inde vert Noisettes	11. Courge jaune Chou Graines de tournesol	12. Épinards Chou Fromage blanc maison
13. Ketmie Épinards Noix de Brésil	14. Épinards Brocoli Graines de tournesol	15. Aubergine cuite Bette (poirée) Œufs (pochés)
16. Bette (poirée) Courge jaune Noisettes	17. Bette (poirée) Céleri (branches) Fromage blanc maison	18. Épinards Courge jaune Noix d'acajou
19. Feuilles de betterave Haricots verts Noisettes	20. Fenouil Courge jaune Fromage blanc maison	21. Ketmie Chou rouge Avocat

LAITUE	LAITUE	LAITUE
22. Bette (poirée) Courge jaune Avocat	23. Bette (poirée) Courge jaune Avocat	24. Céleri (branches) Chou rouge Côtelettes d'agneau
25. Courge verte Chou frisé Fromage doux non pasteurisé	26. Chou blanc Épinards Pistaches	27. Asperges Artichauts Avocat
28. Feuilles de betterave Choux de Bruxelles Graines de sésame	29. Brocoli Haricots verts Noix de Grenoble	30. Courge jaune Bette (poirée) Avocat
31. Chou frisé Haricots verts Amandes	32. Oignons cuits à la vapeur Bette (poirée) Fromage doux non pasteurisé	33. Aubergine cuite Chou frisé Avocat
34. Aubergine cuite Bette (poirée) Soya (fèves germées)	35. Courge verte Feuilles de navet Rôti de bœuf	36. Courge jaune Feuilles de moutarde Pacanes
37. Asperges Haricots verts Noix de Grenoble	38. Chou rouge Épinards Fromage blanc maison	39. Haricots verts Céleri (branches) Agneau grillé
40. Céleri (branches) Feuilles de betterave Graines de tournesol	41. Asperges Brocoli Amandes	42. Choux de Bruxelles Chou frisé Noix de Brésil

CHAPITRE VI

LE REPAS D'AMIDON

Avec une pointe d'humour, Carlton Fredericks écrit : « Ne servez pas plus de deux aliments riches en sucre ou en amidon au même repas. Quand vous servez du pain et des pommes de terre, vous dépassez la limite de tolérance du corps pour les amidons. Un repas qui comprend pois, pain, pomme de terre, sucre, pâtisserie, auquel on ajoute de la menthe d'après dîner, doit également offrir une capsule de vitamine B, du bicarbonate de soude (autre que celui dont on assaisonne les légumes) et l'adresse du plus proche spécialiste en troubles arthritiques et autres maladies de dégénérescence. »

Depuis plus d'un demi-siècle, les adeptes de l'hygiénisme se sont fait une règle de ne consommer qu'un amidon par repas, sans y ajouter d'aliments sucrés. S'ils mangent des farineux, les hygiénistes considèrent comme tabous les sucres, sirops, gâteaux au miel, tartes, menthes, etc. A ceux qui leur demandent conseil, ils ne disent pas de prendre du bicarbonate, mais d'éviter la fermentation qu'amène presque inévitablement pareil mélange. Ce leur semble le comble de la sottise que d'absorber un poison et ensuite un antidote, alors que le simple bon sens commande de ne pas prendre le poison.

Le sucre joint à l'amidon, cela veut dire : fermentation, acidité d'estomac, malaises. Cette règle de ne pas associer les sucres avec les amidons s'applique également au miel, même si l'on croit que le miel est un « sucre naturel » et qu'on peut en manger n'importe quand, n'importe comment. Que vous preniez vos pâtisseries, céréales ou gâteaux avec du miel, du sucre ou du sirop, peu importe, cette combinaison vous expose à la fermentation. Les sucres blanc, brun ou « naturel », l'imitation de la cassonade qui n'est que du sucre blanc coloré, les mélasses ou les autres sirops, associés aux amidons, provoquent la fermentation. Le bicarbonate n'empêche pas la fermentation, même s'il peut neutraliser les acides qui en résultent.

Depuis cinquante ans et plus, c'est la coutume chez les hygiénistes de prendre au repas une copieuse salade de légumes crus (à l'exception de tomates ou autres aliments acides). La salade devra être copieuse par rapport aux quantités habituelles, et composée de légumes frais et crus. Cette salade fournit quantité de vitamines et de sels minéraux. Les vitamines que renferment ces végétaux sont authentiques ; ce ne sont pas des imitations de laboratoire, lesquelles, du reste, n'ont jamais satisfait les hygiénistes. Ils prennent de l'authentique, ou ils ne prennent rien. Qui consomme des aliments sous forme de comprimés encourage la réclame commerciale et le fétichisme médicamentaire.

Les vitamines se complètent les unes les autres. Notre organisme réclame non seulement la vitamine B complexe, mais aussi toutes les autres vitamines. Or, la salade copieuse de végétaux crus en fournit plusieurs actuellement connues, et probablement bien d'autres qui nous sont encore inconnues. Dans le processus de la nutrition, les vitamines coopèrent non seulement entre elles, mais encore avec les minéraux de l'organisme, minéraux que fournit la salade végétale. Ce n'est pas en absorbant des préparations vitaminées de calcium, de fer ou d'autres minéraux qu'on obtient le résultat désiré, car ces préparations se présentent sous une forme inutilisable. Il n'y a pas de meilleure source de substances alimentaires que le règne végétal. Le laboratoire et la chimie n'ont pas encore réussi à créer des aliments satisfaisants.

Les hygiénistes conseillent de prendre *un seul amidon par repas,* non parce qu'il en résulterait quelque conflit dans la digestion de plus d'un amidon, mais parce que l'ingestion de deux amidons ou plus au même repas constitue pratiquement un excès. La sagesse de ce conseil se justifie doublement lorsqu'il s'agit d'alimenter un malade. Ceux qui maîtrisent parfaitement l'art de manger avec mesure peuvent se permettre de prendre deux amidons ; mais leur rareté impose la règle d'un seul amidon par repas.

Fredericks écrit encore : « Que vous mangiez, au restaurant du coin, des sandwichs à la viande hachée, ou du filet mignon, dans un grand hôtel, vous absorbez des protéines. Ici ou là, des galettes ou des crêpes suzette demeurent des hydrates de carbone. Dans un refuge ou un café de luxe, la margarine ou les boulettes de beurre s'appellent matière grasse. Ce sont les trois grands de l'alimentation. Le reste forme déchet. En toute nourriture, prédomine l'un ou l'autre de ces éléments. Quelques substances très raffinées, tel le sucre, n'en contiennent qu'un seul ; mais la plupart renferment les trois grands, ce qui rend quelque peu impraticable la diète de Hay. » (Dr Hay, diététicien américain qui a tenu compte des combinaisons alimentaires dans sa méthode. Note de l'éditeur.)

Il n'est pas juste de dire que tout aliment comporte déchet. Un déchet n'est pas un aliment. Fredericks n'a pas, non plus, raison d'affirmer qu'en tout aliment prédomine l'un ou l'autre des quatre éléments susdits. Les jeunes pousses des plantes fournissent très peu de déchet, leur cellulose étant pratiquement toute digestible. Leur valeur nutritive vient surtout des minéraux et des vitamines qu'elles contiennent. Avec ses « quatre grands », Fredericks ne tient pas compte non plus du fait que certains aliments contiennent une grande abondance de minéraux, tandis que certains autres en contiennent relativement peu.

D'après les citations précédentes, on pourrait facilement croire que toutes les protéines se valent, de même que les graisses et toute autre combinaison d'aliments, — sandwich de viande hachée ou filet mignon, — et que la préparation des aliments importe peu. Nous ne chicanerons pas cet auteur de soutenir un tel point de vue, mais nous craignons qu'une telle affirmation de sa part ne pousse ses lecteurs à penser que n'importe quelle mode alimentaire désuète est satisfaisante.

Voyons donc si Fredericks a raison de qualifier d'impraticable l'interdiction des combinaisons protéine-amidon. Selon lui, d'une manière générale, la plupart des aliments contiennent des hydrates de carbone, des graisses, des protéines et des déchets. Comme on l'a déjà vu, il y a tout d'abord une différence à établir entre les combinaisons naturelles que présente un aliment et les combinaisons d'aliments communément faites au hasard. Notre système digestif s'adapte bien aux premières, mais non aux secondes, que pratiquent largement nos civilisés. Les combinaisons naturelles offrent peu de difficulté au système digestif. Manger un aliment complexe de sa nature est une chose ; manger deux aliments de caractère opposé en est une autre. Les sucs digestifs peuvent facilement s'adapter à un aliment comme les céréales, qui constituent une combinaison protéine-amidon ; mais non au mélange de deux aliments tels que le pain et le fromage. C'est ce qui faisait dire souvent à Tilden que la nature n'a jamais produit un sandwich.

Notre système digestif est adapté à la digestion des combinaisons naturelles, mais il ne dispose des autres qu'avec difficulté. Cela devrait être évident. Les habitudes alimentaires du monde moderne sont tellement éloignées de tout ce qu'on voit partout dans la nature ou chez les peuplades dites primitives qu'on ne peut les considérer comme normales.

Si Fredericks avait davantage étudié le processus de la digestion, il n'aurait pas jugé impraticable la défense de combiner protéine et amidon. Il est vrai que la nature fournit de telles combinaisons, d'ailleurs faciles à digérer. Mais — et c'est un fait qui échappe à tous les diététiciens traditionnels — l'organisme peut s'adapter de manière à produire, au moment voulu, des sécrétions porteuses d'un acide aussi fort ou d'enzymes aussi concentrées que le requiert la digestion de chaque aliment, tandis que cette adaptation s'avère impossible dans le cas de deux aliments différents pris au même repas.

Cannon a démontré que si l'amidon est bien insalivé, sa digestion se continuera dans l'estomac pendant plus de deux heures. Opération irréalisable si l'on mange des protéines avec l'amidon ; car alors les glandes stomacales inonderont les aliments de suc gastrique (acide), ce qui aura pour effet d'arrêter rapidement la digestion salivaire dans l'estomac. Cannon dit que la salive a pour fonction d'amorcer la digestion des amidons. « C'est pourquoi, ajoute-t-il, vous devez mastiquer à fond pain, céréales et autres farineux. C'est pourquoi aussi vous ne devez pas boire d'eau lorsque vous avez la bouche pleine. Bien qu'il ne soit pas défendu de boire de l'eau au repas, — si tant est qu'elle favorise la chimie de la digestion, — on ne devrait pas se permettre d'affaiblir l'action que la salive de la bouche exerce sur les amidons. »

La digestion des amidons devrait commencer dans la bouche. En fait, ils y demeurent si peu de temps que leur digestion y est à peine amorcée. Si on les prend dans des conditions favorables, leur digestion salivaire peut et doit se continuer dans l'estomac durant une longue période de temps. Ajoutez-y des acides et des protéines, et leur digestion s'en trouvera complètement entravée ou suspendue.

Boire de l'eau au repas affaiblit l'action de la salive sur les amidons dans l'estomac autant que dans la bouche. D'ailleurs, il est faux que vous ayez besoin de boire au repas pour faciliter la digestion. Il vaudrait mieux boire dix à quinze minutes avant le repas. Boire pendant le repas dilue les sucs digestifs et les charrie avec leurs enzymes.

MENUS-TYPES

On trouvera ci-après une série de 44 menus-types de repas farineux correctement combinés. Nous suggérons de prendre le repas farineux le midi. Mangez les farineux le plus secs possible. Mastiquez et insalivez-les complètement avant de les avaler. Ne mêlez pas d'acides à la salade qui accompagne ce repas. Nous conseillons de prendre une salade copieuse, le soir, avec la protéine, et une salade de quantité moindre, le midi, avec l'amidon. Le tout proportionné aux besoins de chacun.

Chaque menu comprend une laitue. Variez la sorte de laitue.

LAITUE	LAITUE	LAITUE
1. Feuilles de navet Courge jaune Châtaigne	2. Épinards Chou rouge Racine de caladion au four	3. Feuilles de betterave Ketmie Riz brun
4. Épinards Fèves vertes Noix de coco	5. Haricots verts Aubergine cuite Ignames au four	6. Feuilles de navet Asperges Châtaignes
7. Fèves vertes Rutabaga en purée Patates douces au four	8. Feuilles de navet Céleri (branches) Artichaut	9. Chou chinois Blé d'Inde vert Riz brun
10. Épinards Betteraves Patates douces au four	11. Chou frisé Céleri Artichaut	12. Feuilles de betterave Chou-fleur Courge Hubbard au four
13. Bette (poirée) Carottes Pommes de terre au four	14. Mâche Courge jaune Artichaut	15. Chou frisé Fèves vertes Courge Hubbard au four
16. Haricots verts Navets Patates douces au four	17. Épinards Navets Artichaut	18. Courge verte Chou-fleur Ignames au four
19. Asperges Courge blanche Ignames au four	20. Chou de Bruxelles Haricots verts Artichaut	21. Feuilles de navet Brocoli Arachides
22. Feuilles de betterave Chou-fleur Pommes de terre sucrées	23. Asperges Fenouil Arachides	24. Bette (poirée) Pois verts Courge Hubbard

LAITUE	LAITUE	LAITUE
25. Mâche Haricots verts Arachides	26. Brocoli Feuilles de betterave Pain entier	27. Haricots verts Brocoli Courge Hubbard
28. Épinards Haricots mangetout verts Arachides	29. Haricots mangetout beurre Chou frisé Patates douces au four	30. Épinards Chou Châtaignes
31. Mâche Ketmie Noix de coco	32. Haricots verts Courge jaune Ignames au four	33. Feuilles de betterave Courge jaune Patates douces
34. Bette (poirée) Asperges Fèves cuites au four	35. Céleri (branches) Choux de Bruxelles Patates douces au four	36.Chou frisé Petits pois verts Artichaut
37. Mâche Courge jaune Racines de caladion au four	38. Haricots mangetout Chou Pommes de terre sucrées	39. Céleri Brocoli Ignames au four
40. Épinards Haricots mangetout Arachides	41. Ketmie Chou-fleur Racines de caladion cuites à la vapeur	42. Épinards Chou Châtaignes
43. Céleri Courge verte Carottes	44. Courge jaune Bette (poirée) Pommes de terre au four	

CHAPITRE VII

LE REPAS DE FRUITS

Dans *Eating to Live Long* (Alimentation et Longévité), le Dr William Henry Porter écrit qu' « une des marottes les plus malsaines et condamnables qui soient en diététique » consiste à manger des fruits. Il admet toutefois qu'on fait bien si on les mange sans autres aliments. Je ne doute pas qu'interrogé sur l'art de combiner les aliments, il le condamnerait comme une manie malsaine. Pour sa part, le Dr Percy Howe, de Harvard, a remarqué que certaines personnes, incapables de manger des oranges aux repas, le pouvaient sans inconvénient si elles n'y joignaient aucun autre aliment. Le Dr Dewey, bien connu pour ses écrits sur le jeûne, s'opposait fortement à l'ingestion de fruits, sous prétexte que les fruits nuisent à la digestion. Pas un de ces auteurs n'avait la moindre idée des combinaisons alimentaires. Tout simplement, ils ont remarqué que l'ingestion de fruits avec d'autres aliments entraîne de nombreux dérangements, et ils en ont attribué la cause aux fruits. En fait, il n'y a aucune raison de condamner ni les fruits ni les aliments qui les accompagnent.

De par son classement biologique, l'homme devrait cultiver les habitudes frugivores qui répondent à sa structure anatomique. S'il s'en est considérablement écarté aux cours des âges, cela tient, sans doute, en grande partie, aux pérégrinations qui suivirent son départ des régions chaudes de l'éden primitif. Son sens du goût, expression d'un besoin de l'organisme, doit évidemment concourir à ses états de santé ou de maladie. Or, ce même goût, qui aujourd'hui réclame de la viande, doit se raffiner pour apprécier les saveurs que recèlent tant de fruits, de légumes et de noix, dont les combinaisons aussi nombreuses et variées que belles plaisent aux sens de la vue, de l'odorat et du goût.

Les fruits comptent parmi les plus beaux et les meilleurs des aliments. Rien n'est aussi délectable que de savourer une belle pomme fondante, une succulente banane mûrie à point, une poire d'avocat crémeuse, tendre et choisie avec soin, ou encore un frais et bienfaisant raisin doux. La pêche aussi, à l'état de maturité parfaite, procure un réel plaisir gustatif. Bref, les fruits constituent un véritable enchantement pour le palais, un trésor de jouissances alimentaires, un vrai délice quoi. Par les riches composantes de leurs saveurs rares, leurs arômes délicieux, leurs couleurs attrayantes, les fruits nous invitent constamment au plaisir de manger.

Plus que délices pour la vue, l'odorat et le goût, les fruits offrent des mélanges supérieurs de substances alimentaires pures, riches et nourrissantes. Peu d'entre eux sont forts en protéines, si l'on excepte surtout les avocats et les olives. Ils regorgent de sucres qui vous mettent l'eau à la bouche ; ils contiennent les mélanges d'acides les plus savoureux et sont riches de minéraux et de vitamines. Avec les noix (que la botanique classe parmi les fruits) et les végétaux verts, les fruits forment une nourriture complète, à vrai dire la nourriture idéale de cet animal normalement frugivore qu'est l'homme.

Manger des fruits nous procure donc un plaisir gustatif extrêmement profond, et nous avons toutes les raisons au monde de le faire. Rien ne peut davantage plaire au goût qu'un repas de fruits savoureux, véritable invitation au plaisir. Il ne cause pas de troubles digestifs si on n'y mêle aucun autre aliment. Plus encore, un tel repas est à la fois rafraîchissant et nourrissant. Bref, le délice exquis que comporte un repas si naturellement bon, la merveilleuse sensation de bien-être qui s'en suit et la profonde satisfaction qu'il procure surpassent de loin tout ce qu'on peut éprouver à manger d'autres aliments.

Faites un repas exclusivement de fruits : c'est la façon idéale de les manger. Les acides que renferment les fruits ne se combinent bien ni avec les amidons ni avec les protéines. Il en va de même pour leurs sucres. Les huiles de l'avocat et de l'olive se combinent mal aussi avec les protéines. Pourquoi alors s'exposer à des troubles digestifs en mangeant des fruits avec la viande, les œufs, le pain, etc. ?

Les fruits ne subissent qu'un commencement de digestion ou même n'en subissent aucune dans la bouche et l'estomac. En général, ils passent rapidement dans l'intestin où s'opère la petite digestion qu'ils réclament. Si on les mange avec d'autres aliments qui doivent rester longtemps dans l'estomac, ils y restent, eux aussi, jusqu'à l'achèvement de la digestion de ces aliments. Il s'ensuit une décomposition due à l'action des bactéries. Plus haut, nous avons mentionné ce fait à propos des melons, qui sont aussi des fruits.

On ne doit pas manger de fruits entre les repas, puisque normalement l'estomac est encore activement engagé à la digestion du repas précédent. Si on le fait, on éprouvera certainement des ennuis. D'où la règle qui devrait être invariable : MANGER LES FRUITS A UN REPAS DE FRUITS.

Boire des jus de fruits entre les repas explique pour une bonne part l'état d'indigestion dont souffrent nombre de ceux qui pensent de la sorte s'alimenter sainement. Cette pratique, remise en vogue ces dernières années, avait cours dans les cercles hygiénistes à la fin du XIXe siècle. Vu les troubles digestifs et autres qu'elle entraîne, bien des gens délaissèrent la réforme alimentaire qu'ils avaient entreprise pour revenir à leurs vieilles habitudes d'alimentation carnée.

Dans *Exact Science of Health* (La Science exacte de la santé), le Dr Robert Walter nous raconte sa propre expérience à ce propos. Pour recouvrer la santé, le Dr Walter s'était prêté à de nombreux traitements d'abord médicaux, puis hydrothérapiques. Or, à la suite de ces traitements, il avait contracté un appétit féroce qui eut comme résultat d'irriter son estomac. Il était devenu si gourmand qu'aucune quantité de nourriture n'arrivait à le rassasier. « La soif, écrit-il, me faisait toujours souffrir beaucoup, mais comme je n'aimais pas l'eau et qu'on m'avait vanté la haute qualité des fruits, je ne cessais de boire des jus frais. Ces jus fermentaient dans l'estomac, créant et entretenant cette fièvre même qu'ils soulagaient momentanément. Tout cela me maintenait dans un état de boulimie fiévreuse qu'aucune autre souffrance n'égala jamais. »

Cette expérience amena le docteur Walter à renoncer au végétarisme et à revenir à la nourriture carnée. En mangeant à toute heure du jour, — car boire des jus de fruits équivaut à manger, — il contracta une névrose qu'il prit pour de la faim. Or, essayer de satisfaire cette névrose en mangeant, c'est comme essayer d'éteindre un feu avec de l'essence. Ceux qui confondent à tort l'irritation gastrique avec la faim et qui continuent d' « apaiser » cette « faim » par l'emploi de ce qui en est la cause verront leur état empirer. L'abandon du végétarisme sauva donc le docteur Walter, non parce que le végétarisme est mauvais, mais parce qu'il ne fit plus qu'un repas par jour et qu'il cessa de se saturer de jus de fruits entre les repas.

Il n'est pas de régime si bon que ne puisse gâter l'habitude de boire des jus de fruits, et il n'est pas d'alimentation si mauvaise que cette habitude ne rende pire. Non pas que les jus de fruits soient mauvais : ils sont excellents ; mais leur mauvais usage détraque la digestion.

Les soi-disant diététiciens éviteraient bien des erreurs de nos jours si seulement ils connaissaient l'histoire de la réforme alimentaire. Leurs « découvertes » datent de loin. On les a mises à l'épreuve, et certaines de celles qui ont aujourd'hui la cote d'amour se sont avérées nuisibles ; c'est pourquoi on les a abandonnées.

Les légumes verts forment une combinaison idéale avec les fruits oléagineux, mais on peut aussi les prendre avec des fruits acides. Cela vaut évidemment pour les diverses noix contenant des protéines, non pour les fruits amylacés tels que châtaignes, glands, etc. Les fruits doux et les noix forment un mélange à déconseiller particulièrement, malgré le goût délicieux qu'il présente.

L'avocat, plus riche en protéines que le lait, ne devrait pas être associé aux autres protéines. Il est riche en graisse et il empêche également la digestion des autres protéines. Il peut toutefois être associé aux fruits acides, mais il vaut mieux ne pas le manger avec des fruits doux, ni non plus avec les diverses noix.

En plusieurs milieux, on prétend que la papaye facilite la digestion protéique. On est alors fortement enclin à la prendre avec des protéines. Or, une telle combinaison n'est pas judicieuse. Que la papaye contienne, comme on le prétend, une enzyme apte à digérer les protéines n'offre qu'une raison de plus de ne pas l'associer à cette fin, car l'emploi « d'aides » affaiblit invariablement le pouvoir digestif. La seule manière sensée de « traiter » l'affaiblissement du pouvoir digestif consiste à écarter d'abord la ou les causes du délabrement digestif et ensuite à procurer à l'organisme un repos suffisant pour lui permettre de récupérer ses forces et de se refaire.

Quant aux malades, l'expérience m'a montré qu'il vaut

mieux leur offrir des fruits doux et des fruits fortement acides à des repas séparés. Ainsi, je ne donne pas de dattes, de figues ou de bananes avec des oranges, des pamplemousses ou des ananas.

Il y a contre- indication spéciale à employer du sucre, du miel ou autres sucreries avec le pamplemousse. Si ce dernier est amer ou trop acide, il faut en acheter qui soit de meilleure qualité.

MENUS-TYPES

On trouvera ci-après 15 menus-types de fruits convenablement combinés. Il est suggéré de prendre le repas de fruits le matin, au petit déjeuner. N'ajoutez pas de sucre aux fruits. On peut manger avec profit tous les fruits de saison. Pour les quantités, que chacun consulte ses besoins.

1. Oranges
   Pamplemousse
2. Figues fraîches
   Pêches
   Abricots
3. Banane
   Poire
   Figue
   Un verre de lait caillé
4. Oranges
   Ananas
5. Cerises
   Abricots
   Prunes
6. Cerises
   Pêches
   Brugnons
7. Pamplemousse
   Pommes
8. Bananes
   Poires
   Raisins
9. Baies avec de la crème
   (sans sucre)
10. Cerises
    Abricots
11. Bananes
    Raisins secs
    Dattes
12. Pommes
    Raisins
    Dattes
    Verre de lait caillé
13. Kaki
14. Pommes
    Raisins
    Figues fraîches
15. Figues sèches
    Pommes
    Poires

Pour varier, voici un repas très savoureux composé d'une abondante salade de fruits et d'une protéine :

— Pamplemousse, orange, pomme, ananas, laitue, céleri ;

— 4 onces (125 gr.) de fromage blanc maison, ou quatre onces (125 gr.) de noix, ou encore une quantité plus grande d'avocat.

Au printemps, il est facile de préparer une salade savoureuse de fruits de saison tels que pêches, prunes, abricots, cerises, brugnons, (on peut ajouter laitue et céleri).

Les fruits doux ne doivent pas entrer dans une salade qui comporte une protéine.

Chapitre VIII

LA PRÉPARATION DES MENUS

Les menus suggérés dans cet ouvrage, nous les proposons à titre d'exemples seulement, pour aider le lecteur à se familiariser avec les principes des combinaisons alimentaires et pour l'initier à la composition de ses propres menus. Il vaut mieux savoir préparer ses menus que d'avoir un livre de menus de trois repas pour chaque jour de l'année. Celui qui comprend les combinaisons et qui peut préparer ses menus n'est jamais dans l'embarras, où qu'il se trouve, car il saura agencer un repas avec les aliments dont il dispose le cas échéant.

Les aliments disponibles dans une région, à un moment de l'année, peuvent ne pas l'être ailleurs, à un autre moment. Il faut compter avec les aléas des saisons, du climat, de l'altitude, du sol et des facilités du marché. Il convient donc de savoir combiner ses aliments et d'utiliser ceux qu'on a sous la main pour préparer son repas. Un livre de menus est toujours aride et parfois frustrant, surtout quand on ne peut se procurer les aliments inscrits au menu de tel jour. On se laisse alors guider par la loi du moindre effort et l'on mange n'importe comment. De plus, si vous êtes l'invité d'un ami ou d'un parent, de quelle utilité vous sera votre livre de menus ? Tandis que si vous savez combiner vos aliments, vous pourrez habituellement choisir ce qui est compatible entre les aliments qu'on vous présente et ainsi prendre un repas équilibré.

Apprenez donc les principes des combinaisons de façon à en faire un usage correct en toute circonstance. D'un enfant on peut exiger qu'il s'en tienne à une règle donnée, mais un adulte intelligent doit étudier les principes et apprendre à les appliquer. Il suffit de s'y mettre, et l'on s'aperçoit bientôt à la pratique, que l'habitude s'acquiert rapidement et fait place à une espèce d'automatisme. Pardessus tout, ne devenez pas maniaque en la matière. Prenez votre repas et oubliez-le. Laissez vos amis manger à leur guise et ne les embêtez pas en leur servant à table une conférence sur la diététique.

Menus-types pour deux semaines

Les menus qui suivent valent pour deux semaines et visent à montrer comment associer correctement les aliments selon les saisons. Ceux de la première semaine sont des menus de printemps et d'été. Ceux de la deuxième, des menus d'automne et d'hiver. Utilisez-les seulement à titre de suggestion, et apprenez à préparer vos propres menus.

MENUS DE PRINTEMPS ET D'ÉTÉ

DIMANCHE

Petit Déjeuner	Déjeuner	Diner
Pommes	Mâche	Scarole
	Endives	Fenouil
	Choux de Bruxelles	Poireaux
	Pommes de terre	Noisettes

LUNDI

Petit Déjeuner	Déjeuner	Diner
Cerises	Chicorée améliorée	Salade verte
Abricots	Feuilles de radis	Épinards
	Carottes	Chou
	Fèves vertes cuites	Fromage blanc maison

MARDI

Banane	Laitue	Romaine
Cerises	Haricots verts	Brocoli
1 verre de lait caillé	Courgettes	Asperges
	Artichaut	Œufs

MERCREDI

Fraises à la crème (sans sucre)	Salade verte et radis	Pissenlit
	Chou-fleur	Courgettes
	Haricots verts	Feuilles de radis
	Riz complet	Côtelettes d'agneau

JEUDI

Brugnons	Pissenlit	Laitue
Abricots	Chou vert	Épinards
Prunes	Carottes	
	Topinambours	Amandes

VENDREDI

Pêches	Salade verte	Romaine
Abricots	Aubergine cuite	Chou
	Bettes (poirée)	Épinards
	Pain complet	Fromage blanc maison

SAMEDI

Melon ou pastèque	Salade verte	Salade verte avec tomate
	Haricots verts	Poivrons
	Fèves vertes	Courgettes
	Pommes de terre	Noix d'acajou

MENUS D'AUTOMNE ET D'HIVER

DIMANCHE

Petit Déjeuner	Déjeuner	Diner
Pêches	Salade verte	Salade verte
1 verre de lait caillé	Carottes	Épinards
	Asperges	Courgette
	Salsifis	Fromage blanc maison

LUNDI

Petit Déjeuner	Déjeuner	Diner
Melon	Salade verte	Salade verte
	Chou vert	Choux de Bruxelles
	Chou-fleur	Haricots verts
	Pommes de terre	Œufs

MARDI

Petit Déjeuner	Déjeuner	Diner
Raisins	Salade verte	Salade verte
Poire	Feuilles de navets	Chou
Figue sèche	Poireaux	Courgette
	Riz complet	Noix

MERCREDI

Petit Déjeuner	Déjeuner	Diner
Poires	Salade verte	Salade verte
1 verre de lait caillé	Brocoli	Poireaux
	Haricots verts	Épinards
	Pain complet	Fèves cuites

JEUDI

Petit Déjeuner	Déjeuner	Diner
Raisins doux	Salade verte	Salade verte
Banane	Courge jaune	Chou rouge
	Panais	Haricots verts
	Châtaignes	Amandes

VENDREDI

Pamplemousse	Salade verte	Salade verte
	Carottes	Carde
	Épinards	Fromage blanc maison
	Salsifis	Fenouil

SAMEDI

Pommes douces	Salade verte	Salade verte
Dattes	Pois frais	Épinards
	Noix de coco	Oignons cuits
		Côtelette d'agneau

DIMANCHE

Raisins doux	Salade verte	Salade verte
Bananes	Haricots verts	Aubergines cuites
	Soupe de légumes	Chou
	Céleri-rave	Œufs

Chapitre IX

LE « REMÈDE » A L'INDIGESTION

On ne peut exagérer l'importance d'une bonne digestion. L'élaboration de la matière première de la nutrition en dépend à tel point que la santé a, dans une très large mesure, partie liée avec elle. Une bonne nutrition exige nécessairement une bonne digestion. La meilleure alimentation ne peut profiter à l'organisme si le processus de la digestion échoue.

Une digestion médiocre ne peut pas fournir au corps les matériaux nécessaires à l'élaboration et au maintien de l'intégrité sanguine. En pareil cas, les tissus sont insuffisamment nourris, la santé générale fléchit et la constitution s'altère. Retenons donc que la qualité du sang dépend de l'élaboration de ses éléments constitutifs dans le système digestif. A une bonne digestion correspond de meilleures modifications tissulaires dans tout le corps. En améliorant la digestion, on améliore le rendement général de toutes les fonctions vitales et l'on obtient ainsi de très grands et de nombreux avantages.

L'indigestion annonce, sans toutefois les causer, bien d'autres maux plus graves. Chaque altération fonctionnelle devient indirectement cause ; et l'état d'empoisonnement et d'épuisement qui résulte de l'indigestion s'ajoute alors aux causes principales des souffrances humaines. Prévenir l'indigestion, c'est préserver le bien-être ; y porter remède, c'est restaurer la santé.

Quantité de malaises ou de symptômes accompagnent l'altération progressive de la fonction digestive. Sans vouloir en dresser le catalogue complet, mentionnons les plus connus : gaz, éructations, aigreurs, douleurs abdominales, insomnie, empâtement de la langue, perte d'appétit, constipation, évacuations nauséabondes, nervosité, etc.

A vrai dire, notre collectivité souffre d'indigestion chronique, quand on pense un instant aux quantités énormes de produits de toute sorte — bicarbonate de soude, lait de magnésie, Alka-seltzer, Bromo-seltzer, poudres et sels — qui se consomment chaque jour pour soulager les malaises provenant de la fermentation acide et des gaz dans le système digestif. Les malaises qui suivent les repas sont extrêmement communs, mais on semble incapable de procurer à ceux qui en souffrent plus que quelques minutes ou quelques heures de répit. Que fait donc la toute-puissante « science » médicale ? Ne peut-elle rien trouver de durable ou de positif pour corriger un désordre aussi simple que celui-là ?

Outre les médicaments qu'on emploie pour alléger momentanément les malaises digestifs, il y a les nombreux produits qui sont censés « aider à la digestion ». La pepsine est peut-être le plus connu de ceux-là. Il fut un temps où l'on proclamait que le chewing-gum aidait à la digestion. Attrape-nigauds que tous ces palliatifs qui ne facilitent aucunement la digestion. Ils n'améliorent ni ne fortifient la fonction des organes digestifs et ne suppriment aucune des causes de la mauvaise digestion. Au contraire, le recours habituel à l'un ou à l'autre d'entre eux ne peut qu'altérer davantage le système digestif. Bien plus, ce recours a pour effet de détourner l'attention de la vraie solution, en empêchant les intéressés de connaître la vérité sur leur état et la façon dont ils peuvent vraiment se rétablir. On reste ahuri en constatant que le genre humain compte toujours sur des mesures aussi décevantes quand on sait que même les sots peuvent tirer une leçon d'échecs répétés.

Pour remédier avec succès à l'indigestion, il faut donc aborder le problème dans une optique radicalement différente. On ne fait qu'aggraver le mal en enrichissant les fabricants et les distributeurs de médicaments. Ces gens-là font fortune avec le commerce de produits qui augmentent les souffrances des pauvres victimes du fétichisme médicamentaire. A l'encontre, l'hygiénisme offre à tous un moyen véritable d'échapper à leurs souffrances, en les libérant de leurs vieilles erreurs.

Bien digérer devrait être quelque chose de tout à fait normal. La mauvaise digestion entraîne une baisse de vitalité, habituellement due à un mauvais mode de vie. Pour une large part, les souffrances humaines trouvent leur explication dans l'influence désastreuse du milieu et l'ignorance ou encore la négligence systématique des lois de la physiologie humaine. Pour demeurer en santé, il faut observer fidèlement toutes les lois de la vie.

Quelle différence dans l'efficacité des processus de la digestion selon qu'on mange dans le calme et la sérénité ou dans un état d'énervement, ou encore selon qu'on se repose ou travaille après le repas ! Le repos après le repas est indispensable à une bonne digestion. Impossible de bien digérer si l'on bondit de la table à son travail comme un lévrier s'échappant de ses liens. Quand on vit à une telle cadence, comme c'est souvent le cas dans les grandes villes, et que tout, y compris les repas, se déroule en vitesse, jour après jour, année après année, tant que les forces tiennent bon, rien d'étonnant alors que la Nature outragée finisse par prendre sa revanche.

Il y a une limite à cette vie de galérien. Sans doute, la résistance humaine varie selon la constitution de chacun. Le plus fort tiendra bon plus longtemps que le plus faible ; mais tôt ou tard, il finira par succomber d'épuisement sous les coups répétés d'un tel régime. Quand la constitution de l'homme s'altère et que sa vitalité diminue par carence ou débordement, par dissipation ou surmenage, qu'importe, l'un des premiers symptômes du mal à se manifester est l'affaiblissement du pouvoir digestif.

Nous n'avons qu'à considérer un instant les influences multiples qui assaillent l'organisme pour constater que la plupart de nos civilisés vivent dans un état plus ou moins grave d'énervement. Ces influences peuvent se répartir *grosso modo* en fautes d'action et en fautes d'omission. Les fautes d'omission proviennent de l'ignorance des lois de la vie ou de leur négligence volontaire, ou des deux à la fois. Ou encore l'individu néglige sciemment les lois de la vie et il les viole de propos délibéré pour s'adonner à la poursuite des affaires ou des plaisirs. Ce sont les fautes d'action.

Ces influences énervantes, on peut les considérer sous un autre aspect. Il y a celles que les nécessités et les luttes de la vie imposent à l'homme. Elles proviennent du milieu social et économique sur lequel l'individu n'a pratiquement aucune emprise. Les autres sont fortuites ou recherchées de quelque façon. Aux maux que la misère et la pauvreté font peser sur les classes correspondent les excès et les folles extravagances que se permettent les riches. Ainsi la spéculation, le jeu et les excitations de toute sorte épuisent considérablement le système nerveux. Mais, qu'il s'agisse du surmenage funeste du travailleur intellectuel ou manuel, qu'il s'agisse des licences ruineuses que s'accorde l'homme du monde, ou qu'il s'agisse de la combinaison de tous ces désordres, on aboutit au même résultat.

La violation habituelle des lois de la vie, ou plus précisément l'habitude de se livrer à une activité énervante sape lentement les énergies de l'organisme. Il en résulte un affaiblissement progressif du corps et une diminution de l'énergie nerveuse qu'on ne reconnaît pas toujours au début et dont on n'écoute pas les signaux d'alarme; mais, comme l'avalanche, l'aggravation du mal fait sûrement son chemin.

Bientôt, les forces physiques et mentales tombent dans un état de prostation, et c'est l'homme tout entier qui dépérit. Enfin, la violation continuelle des lois de la vie, en affaiblissant l'organisme, nuit aux fonctions d'excrétion et expose à la toxémie (empoisonnement par rétention des déchets organiques normaux). La digestion et l'assimilation se trouvant appauvries, la nutrition du corps s'abaisse au niveau de l'affaiblissement constitutionnel. L'indigestion s'ensuit, avec, comme conséquence, le lent épuisement du patient.

Un changement d'alimentation ne suffit pas alors à restaurer la santé ; il faut d'abord supprimer toutes les causes de dégénérescence et assurer à l'organisme assez de repos pour qu'il normalise l'activité de ses fonctions. Si l'on n'augmente pas la capacité de digestion et d'assimilation du malade, tous les essais tentés en vue de le « refaire » par le moyen de quelque régime alimentaire qu'on voudra aboutiront à l'échec. C'est en vain qu'on aura recours aux médicaments. Toniques, astringents, écorces, sels minéraux, préparations ferrugineuses, etc. ne feront qu'accentuer le délabrement d'une constitution déjà gravement altérée et diminueront encore l'aptitude à digérer.

Il est insensé de substituer une cause d'affaiblissement à une autre. A quoi bon entreprendre de se reposer si l'on recourt en même temps aux palliatifs, tels que bains, massages, traitements électriques, ajustements vertébraux, irrigation du côlon, lavements, etc. ? Ce n'est pas cela qui redonnera une santé florissante N'oubliez donc jamais ceci : la conformité aux lois de la vie vous délivrera à jamais de la torfure que vous occasionneront des efforts déployés inutilement en vue d'éliminer les conséquences inévitables de votre mauvais mode de vie. Ce n'est qu'après avoir appris à vivre selon les lois de la physiologie et de la biologie que nous pourrons transformer en un chant de bonheur le gémissement de douleur et de désespoir qui monte aujourd'hui de la terre.

Le grand nombre de pseudo-maladies qu'entraîne le

délabrement de l'organisme ont toutes pour cause la violation habituelle des lois de la vie. L'homme intelligent ne l'ignore pas, et d'emblée il reconnaît que la restauration de la santé exige impérieusement amende honorable sous la forme d'un retour et d'une obéissance parfaite aux lois qui ont été violées avec une étonnante persévérance. Evidemment, le malade devra corriger ou rectifier de fond en comble son mode de vie. Après quoi seulement naîtra l'espoir d'une véritable restauration de la santé.

Peut-il exister vraiment une autre manière de soigner qui soit rationnelle ? S'il reste fermement cramponné aux habitudes qui ont causé ses souffrances, comment imaginer qu'un malade puisse guérir en recourant aux pilules, sérums et vaccins, voire à la chirurgie ? C'est une impossibilité manifeste, à moins évidemment que nous ne jetions aux quatre vents notre connaissance de la physiologie et, avec elle, notre bon sens.

Puisque le système nerveux du malade se trouve dans un état de prostration dû au surmenage, à l'intempérance, à la stimulation (irritation) et autres abus de toutes sortes, il faut, en premier lieu et par-dessus tout, lui assurer le repos. En conséquence, nous lui prescrivons un affranchissement absolu de toute activité physique et mentale et de toute tâche qui épuisent ses réserves d'énergie. C'est la condition *sine qua non* du rétablissement. Il est clair que l'individu énervé doit avant tout se reposer, et cela comprend le repos de l'esprit aussi bien que celui du corps.

L'importance que nous attachons au repos de l'esprit, en vue de normaliser la digestion, — car la qualité de celle-ci, nous l'avons vu, est vitale, — explique notre insistance à recommander la détente nerveuse. Pour obtenir cette détente, un changement de décor s'impose pratiquement. Le malade doit s'évader des lieux d'affaires ou de plaisir, fuir la ville, son atmosphère et ses bruits incessants. Il recherchera les délices d'une calme retraite champêtre, dans quelque région pittoresque, aux paysages agréables et variés, que des brises fraîches et saines embaument du matin au soir. Là, le malade pourra tirer profit d'un repos dans la grande paix de la nature et se réchauffer aux rayons d'un soleil bienfaisant.

Les médicaments répondent-ils en fin de compte aux besoins du malade ? Loin de là ; car, en augmentant de plus en plus les doses ou en changeant fréquemment de remèdes, le malade voit son état empirer de jour en jour. Or, ce dépérissement progressif est attribuable non seulement aux effets débilitants des drogues, mais encore au fait que ce recours a favorisé la négligence des causes fondamentales de l'épuisement. On s'illusionne si l'on compte « guérir » une maladie sans changer le mode de vie qui en est la cause radicale.

Deux chemins dans la vie s'ouvrent à tous, sans distinction. L'un mène à la santé, à la force, au bonheur, à la longévité. On y récolte l'honneur, grâce à une vie plus riche, plus pleine, plus fructueuse. L'autre mène à la maladie, à la faiblesse, à la misère et à une mort prématurée, avec autant de sûreté que la pierre jetée en l'air retombe sur le sol. Ce chemin n'offre que déshonneur, après avoir donné en partage souffrance et stérilité. Lequel des deux allez-vous suivre ? La loi et l'ordre n'ont d'égard pour personne, et chacun reçoit la récompense ou la peine que son mode de vie lui a méritée.

Dissipez-vous temps et argent à satisfaire un appétit désordonné ? Vos habitudes sont-elles conformes aux lois physiologiques et telles que vous puissiez en retirer tout le bien souhaitable ? Vous adonnez-vous aux jeux de hasard ou à quelque dérèglement ? Etes-vous certain que votre mode de vie, vos habitudes mentales et physiques sont conformes aux lois de la vie ? N'oubliez jamais que c'est en usant correctement de votre corps et de votre esprit que vous atteindrez l'épanouissement le meilleur et le bonheur le plus élevé.

Evidemment, un seul et unique moyen ne suffirait pas

à résoudre notre problème. Il s'agit, en effet, d'un état de choses qui provient d'un ensemble varié d'antécédents dont la correction exige une attention appropriée à chacun d'eux. En pareil cas, il ne suffit pas de s'attaquer à une seule habitude malsaine, il faut couper court à toutes sur-le-champ et prévenir leur récidive, si l'on veut que le succès couronne les efforts.

Pour restaurer la vitalité de l'organisme épuisé, il faut d'abord renoncer aux pratiques débilitantes ; après quoi, on fera un usage rationnel des moyens et facteurs naturels qu'offre le système hygiéniste. Quand toutes les causes d'affaiblissement ont disparu, les facteurs essentiels à la santé, tels que le repos, le sommeil, l'alimentation saine, l'exercice, l'air frais, l'eau pure, le soleil et les bonnes influences psychiques et morales peuvent et doivent concourir à la restauration de tout l'organisme et à l'efficacité de ses fonctions.

Lorsque, par des moyens hygiénistes, on a libéré l'organisme des toxines qui l'accablaient, restauré son énergie nerveuse, rétabli ses fonctions d'élimination, de digestion et d'assimilation, alors le malade recouvre peu à peu la santé. A défaut de quoi, la meilleure des alimentations ne pourra pas donner les résultats désirés. Que de personnes atteintes de maladies chroniques ou aiguës sont descendues dans la tombe après avoir suivi à la lettre les régimes les plus sévères ! Preuve que le régime alimentaire, isolé des autres facteurs ou soins hygiénistes, n'arrive pas à ramener le malade à la santé.

L'efficacité des moyens hygiénistes ne se manifeste pas dans le traitement d'un organe seulement mais elle se reconnaît aux bienfaits que ces moyens assurent à tout l'organisme. Ainsi l'utilité de la nourriture vaut pour le corps entier et non pour un membre particulier. Le travail primordial de l'hygiéniste consiste donc à assurer au malade l'entier bénéfice de tous les moyens hygiénistes et selon leur plein rendement, car alors seulement le malade aura une vraie chance de se rétablir. Entendue dans ce sens, l'*hygiène naturelle* (ou *hygiénisme*) se révèle une science nouvelle, valable et très bienfaisante.

Insistons sur le fait que la nourriture, malgré sa nécessité pour les bien portants et les malades, ne suffit pas, à elle seule, à conserver ou à rendre la santé. La nourriture ne produit tout son effet que dans sa relation physiologique avec l'eau, l'exercice, le repos, le sommeil et les autres éléments du système hygiéniste. Ces moyens réunis contribuent diversement au progrès de la guérison physique ; mais chacun joue un rôle essentiel, si bien qu'on ne saurait attribuer à l'un une valeur supérieure aux autres. Chacun, en effet, est indispensable. Dans le système hygiéniste, on ne compte pas sur un facteur seulement pour rétablir la santé, mais sur l'usage correct de tous les facteurs réunis.

On n'insistera jamais trop sur cette donnée scientifiquement vérifée, à savoir que c'est l'ensemble des facteurs hygiénistes précités qui, par leur combinaison et leur harmonieuse adaptation aux besoins de l'organisme, offrent à celui-ci la possibilité concrète de se restaurer normalement. Le traitement hygiéniste des malades comprend trop de facteurs simultanés et solidaires pour qu'on puisse lui attribuer les échecs résultant d'une application empirique et incomplète par des personnes incompétentes ou inexpérimentées.

Le repos physiologique — le jeûne — vaut pour toutes les formes d'altération de la santé, mais il est tout indiqué dans l'indigestion, car il soulage à coup sûr un système digestif surmené. Au cours du jeûne, presque tous les organes du corps réduisent leur activité. Ils se reposent. Seuls, les organes d'élimination ou d'excrétion fonctionnent alors plus activement. Le jeûne permet donc au corps de se libérer lui-même de l'accumulation des déchets toxiques. Avec les repos psychique et physique, le repos physiologique facilite on ne peut mieux l'élimination.

Toutefois, on ne doit pas entreprendre de jeûner chez

soi ; on y rencontre trop d'obstacles, tels que les distractions et les responsabilités, sans parler des objections soulevées par les parents et les amis. Mieux vaut se livrer au jeûne dans une institution hygiéniste, sous la surveillance d'un hygiéniste expérimenté. C'est l'endroit idéal où trouver réunies les conditions physiques et psychiques qui facilitent au malade non seulement le jeûne et l'extirpation des mauvaises habitudes, mais encore la culture et l'enracinement des bonnes. A vrai dire, le malade fera bien de rester dans l'institution tout le temps requis pour se familiariser avec son nouveau mode de vie de manière à le conserver sans trop de peine, une fois revenu chez lui. Ce conseil est d'importance capitale si l'on veut continuer à progresser dans la voie de la santé et préserver celle-ci après l'avoir recouvrée.

Ne l'oublions pas, la santé, une fois perdue, on ne peut la recouvrer qu'au prix de grands efforts ; dans cette lutte, le malade lui-même doit jouer, et de beaucoup, le rôle principal. Cette vérité fondamentale, le malade soit se l'appliquer avec une détermination à toute épreuve, en s'employant méthodiquement à acquérir des habitudes saines, aussi longtemps qu'il n'aura pas atteint son but.

Chapitre X

L'INSTITUTION HYGIÉNISTE

A l'origine, il était d'usage d'appeler *maisons d'hygiène* les institutions hygiénistes. Actuellement, on a tendance à les appeler *écoles de santé,* parce qu'on s'y intéresse à la santé plus qu'à la maladie, et aussi parce qu'il s'agit réellement d'écoles où l'on enseigne aux malades les moyens simples et naturels de recouvrer ou de préserver la santé.

A l'école de santé, on apprend au malade à penser et à agir en fonction de la santé. Le véritable hygiéniste ne se contente pas de guider ses malades dans la voie du rétablissement ; il a la conviction de n'avoir accompli pleinement son devoir que s'il a appris au malade le moyen de demeurer en bonne santé. L'hygiéniste est, par conséquent, un *docteur* dans le véritable sens du mot.

L'hygiéniste compétent qui prodigue des soins devrait avoir pour premier objectif de procurer au malade le bénéfice complet de tous les moyens qu'offre l'hygiénisme : telle est la base indispensable du traitement. En conséquence, l'emplacement de l'institution hygiéniste doit être choisi pour la salubrité générale du terrain, pour la pureté et la fraîcheur de l'air, la qualité de l'eau, la chaleur du soleil, enfin la fertilité du sol, puisque du sol dépend la qualité des aliments servis au malade.

Le climat également joue un rôle considérable. Pour les grands malades, souffrant d'un mal chronique ou relevant d'une maladie aiguë, le Sud est toujours indiqué. Au Sud, en effet, les ressources vitales, longtemps contenues rejaillissent au souffle tendre et généreux des brises d'un climat chaud, tandis qu'elles languissent dans les climats froids du Nord. Au pays du chèvrefeuille et de la fleur d'oranger, grâce aux brises douces du golfe du Mexique, on jouit d'étés tempérés qu'agrémentent des nuits fraîches, et l'on a des hivers pendant toute la durée desquels on peut se dorer au soleil. C'est là que le malade peut se régénérer et accroître sa vigueur.

Mais le milieu physique n'est pas tout. L'institution hygiéniste totalement consacrée au service de la santé doit offrir un aménagement et une organisation interne qui concourent agréablement et minutieusement à cette fin. On y observe donc avec méthode un programme bien défini, et l'on exige que le malade suive les quelques règles simples de santé et les usages propres à l'institution.

Le séjour en institution présente cet avantage que l'hygiéniste a presque toujours ses malades à vue ; de la sorte il se rend compte si le malade et le personnel utilisent consciencieusement tous les moyens hygiénistes. De plus, étant sur place, l'hygiéniste a le moyen de vérifier avec la plus grande précision les effets de chacun de ses soins et aussi de modifier s'il y a lieu le traitement prescrit, selon que l'exige l'état de chaque malade. Celui-ci en retire le plus grand bienfait, et l'hygiéniste, un surcroît d'efficacité, car il peut étudier personnellement et méthodiquement ses malades et les soins qu'ils requièrent. L'expérience aidant, il rend ainsi des services toujours plus précieux à ses patients.

D'autres avantages profitent au malade dans l'institution. Tout d'abord, il est à l'abri des tentations. Il n'a pas autour de lui ses parents et amis pour le presser de revenir à son ancien mode de vie. Au contraire, chacun dans l'institution l'encourage à rompre avec le régime qui l'a rendu malade et à cultiver des habitudes nouvelles et saines. Il ne subit que de bonnes influences sous l'œil vigilant du *docteur.* Aussi peut-il, avec une relative facilité, renoncer tôt à des habitudes contre lesquelles il aurait lutté longtemps et peut-être en vain s'il était resté chez lui, sans autre aide que la suggestion intermittente de sa changeante volonté.

Buveurs de café ou de thé, fumeurs et habitués de l'alcool, inquiets et autres malades trouvent des conditions physiques et sociales qui les détournent doucement de mauvaises habitudes dont ils auraient cru très difficile de se libérer, dans les circonstances ordinaires, par la seule force de leur volonté. C'est un fait que le vrai régime hygiéniste, par lui-même et à la grande surprise du malade, facilite l'abandon des mauvaises habitudes. Le malade se sent encouragé dans ses efforts. Les influences physiques et morales œuvrent de concert ; la force de l'exemple soutient sa volonté vacillante, continuellement entouré qu'il est de personnes soucieuses de vie saine et qui toutes, avec une émulation édifiante, luttent pour atteindre le même résultat. Qui oserait sous-estimer l'efficacité bienfaisante d'un tel réseau d'influences ? Aussi bien, dans de telles conditions, le succès est certain.

Pour triompher de vieilles habitudes, il faut parfois rompre des liens qui ont contribué à les créer et qui continuent à les entretenir. Or, souvent le meilleur moyen d'échapper aux influences qui ont fait naître les habitudes malsaines, soit physiques, soit psychiques, ou qui les expliquent en grande partie, consiste à changer de décor et de société. L'homme de caractère ne se laissera pas abattre par les éléments défavorables qui l'entourent. Mais, hélas ! cette espèce-là ne se rencontre pas fréquemment.

La maîtrise de soi, voilà, d'une façon générale, le grand avantage qu'on retire à observer notre conseil. Car, quelque bien personnel qu'on en espère et en obtienne, il faut sacrifier ses goûts extravagants et inutiles, renoncer à de vieilles habitudes, vaincre l'opposition de parents et d'amis ; et tout cela, qui s'impose même au bien portant, exige un effort déterminé et soutenu. En ce sens, le recours, pendant quelque temps, à des soins hygiénistes offre la chance de pratiquer une gymnastique autant morale que physique ; mais on ne pourra guère s'y livrer entièrement que dans un établissement spécialement organisé à cette fin.

Le plaisir qu'on éprouve à vivre dans l'atmosphère d'une telle institution a une portée d'une valeur indiscutable. Nous avons tous expérimenté l'euphorie qu'apporte un milieu où règnent la gaieté et la détente et d'où sont absents les travers d'une étiquette artificielle. Le grand malade en a particulièrement besoin. Son sort lui paraît moins lourd, son avenir moins sombre, et il ne se sent pas écrasé par le labeur (car c'en est un) qu'exige son rétablissement. Il conserve sa bonne humeur et ne rumine pas ses bobos. Enfin, l'exemple précieux d'autres malades, naguère plus mal en point que lui et maintenant rétablis ou en voie de l'être, lui donnent espoir et encouragement.

Cette ambiance dont bénéficie le malade et que crée l'institution hygiéniste caractérise en quelque sorte le système hygiéniste. Si, comme il convient, l'institution est située à la campagne, le malade y jouit d'alentours paisibles, de contacts stimulants avec la nature, de promenades champêtres parmi les fleurs et les arbres, qu'agrémentent les chants joyeux des oiseaux ; ces charmes et d'autres encore dont il profite à la campagne, la ville ne peut les lui offrir.

Quant à l'hôpital, c'est loin d'être le bon endroit, ni du point de vue physique, en ce qui concerne le traitement administré, ni du point de vue psychologique, car tout y concourt à aggraver les troubles du malade. Quel sort plus affligeant pour lui que d'être enfermé dans une salle d'hôpital ? Voisin de mourants et de morts, il respire un air vicié, n'entend que plaintes et gémissements et ne reçoit souvent de soins que de mercenaires arrogants qui le traitent comme un esclave. L'hôpital est pour le malade ce que l'hospice est pour l'indigent : un secours qui le fait descendre vivant dans la tombe.

Je crois avoir mis suffisamment en lumière les avantages nombreux et variés qu'apporte au malade le séjour dans une institution hygiéniste. Il ne me reste plus qu'à ajouter quelques mots sur le mode d'application et l'efficacité des méthodes qu'emploient les hygiénistes dans le soin des malades.

Les soins hygiénistes reposent sur une conception de la maladie et des exigences du rétablissement qui diffère totalement de celle de la médecine. La notion de la spécificité de la maladie caractérise la médecine, tandis que le principe fondamental de la méthode hygiéniste peut se résumer ainsi : — l'organisme vivant possède en lui-même ses propres pouvoirs et moyens de guérison ; — il s'efforce constamment d'opérer son propre rétablissement ; — il y réussit fréquemment sans aide extérieure ; — lorsque ses pouvoirs d'auto-guérison ne parviennent pas à rendre la santé, l'aide de l'hygiéniste doit s'appuyer sur les lois premières de la vie qu'enseignent la biologie et la physiologie.

En somme, les moyens que nous employons pour « guérir » doivent être les mêmes — modifiés suivant les conditions variables où se trouve le malade — que ceux requis pour conserver la santé. En d'autres termes, nous comptons sur les facteurs naturels de santé, dont voici les principaux : l'air, l'eau, les aliments naturels correctement combinés, le repos (physique, psychique, sensoriel, physiologique, c'est-à-dire le jeûne), la chaleur, le soleil et les bonnes influences psychologiques et morales.

A l'action de ces facteurs naturels de santé, nous joignons la recherche et l'élimination de tout ce qui, dans le mode de vie du patient, présente une cause de maladie. Tels sont les outils avec lesquels l'hygiéniste travaille. A titre d'hygiéniste, je réponds de leur efficacité.

Appendice I

CE QUE L'HYGIÉNISME DOIT AU DOCTEUR SHELTON

Les promoteurs de l'hygiénisme à la fin du XIXe siècle furent Sylvester Graham, Isaac Jennings, Russel T. Trall et George H. Taylor. A leur suite, de nombreux adeptes, des deux sexes, s'engagèrent dans cette voie nouvelle. Ils expérimentèrent et propagèrent les principes que les pionniers avaient mis en lumière. Parmi les plus illustres, nommons : Thomas Low Nichols, Mary Gove, James C. Jackson, William A. Alcott. Un peu plus tard vinrent Robert Walter, Chas. E. Page, Emmett et Helen Densmore, Susanna W. Dodds, Augusta Fairchild, Felix Oswald. Enfin, dans la dernière période de l'époque des débuts, s'inscrivent les noms de John H. Tilden, H. Weger, Hereward Carrington, etc.

Le mouvement naissant s'enrichit encore de diverses autres contributions au fur et à mesure que progressait cette science. En physique et en biologie, les découvertes de certains chercheurs étrangers à l'hygiénisme aidèrent grandement à l'approfondissement des principes concernant les facteurs naturels de santé. Citons à cet égard

Dewey, Tanner, Rabagliati, Moras, Berg, Carqué, Lahman, etc.

Il semble toutefois que l'on ait trop tendance à minimiser, sinon à négliger complètement le rôle que jouèrent Graham, Jennings et Trall. Ces trois-là furent bien les premiers à promulguer les lois qui sont à l'origine du mouvement. Les recherches qu'ils effectuèrent chacun dans son domaine donnaient des résultats concordants. Pourtant, ils ne s'étaient nullement engagés dans la voie de la découverte avec l'idée préconçue de travailler à mieux connaître « la santé, la maladie et la guérison », pour employer une expression courante chez Shelton.

Quiconque aborde les vieux classiques de l'hygiénisme (exception faite de Graham et de Jennings) est frappé de voir qu'ils ne cessent de vanter cures d'eau et massages, gymnastique suédoise et traitements électriques, bains turcs, douches, lavements et autres soins que l'hygiénisme moderne rejette et condamne. Le Dr Taylor, inventeur d'un appareil très compliqué destiné à reproduire les différentes pressions atmosphériques, ne tarissait pas d'éloges au sujet des résultats remarquables qu'il obtenait grâce à l'usage de cet appareil.

A la mort de Trall, l'engouement pour tous ces procédés et appareils de traitement ne connut plus de borne, et ils furent adoptés avec enthousiasme par les hygiénistes d'alors. Page recommandait la cure d'eau. Walter, de même qu'Oswald, favorisait les bains chauds, les lavements d'estomac et l'électricité. Carrington recommandait fortement des procédés du même ordre dans son traité sur la vitalité, le jeûne et la nutrition (*Vitality, Fasting and Nutrition*).

L'œuvre de Carrington et de Tilden peut être considérée comme l'un des chaînons reliants l'hygiénisme des débuts à celui d'aujourd'hui, lequel a une fois pour toutes fait table rase de tous les fétiches et tabous représentés par ces méthodes de guérison. Le massage n'entre pas plus dans le nouveau concept de l'hygiénisme que n'y entre la machine compliquée du Dr Taylor ; celle-ci est allée rejoindre, dans le musée déjà riche des procédés hygiénistes désuets, le vieux système du bain électrothermal cher à Trall.

Ce bref rappel du passé nous permet de mieux comprendre le progrès réalisé par l'hygiénisme en ces dernières années. A plusieurs reprises, le Dr Shelton a déclaré que ce progrès aurait pu être beaucoup plus rapide si on avait porté plus d'attention aux travaux de Graham et de Jennings, au lieu de s'attarder à expérimenter des systèmes d'importation européenne, particulièrement ceux de Prissnitz et de Ling. Shelton déplore aussi que les meilleurs adeptes de l'hygiénisme ne s'y soient ralliés qu'après avoir subi l'influence des fausses doctrines de la médecine officielle.

Le Dr Trall, par exemple, se détourna de l'école allopathique pour adopter le système de Priessnitz, et il ne réussit jamais à abandonner l'hydrothérapie. Jennings, lui, prescrivait des pilules de mie de pain et de l'eau colorée en guise de remèdes, auxquels du reste il n'accordait d'autre efficacité que celle dont s'enchantait la crédulité ou la superstition des gens. Mettons au crédit de ce dernier qu'il a rejeté le principe de la cure d'eau après l'avoir essayée. Notons aussi que l'influence de Jennings sur le mouvement hygiéniste fut, à cause de son caractère, moins marquante qu'on l'eût souhaité. Si Jennings avait eu l'esprit de croisade qu'animait Graham et Trall, il aurait sûrement acquis la notoriété qu'il méritait. D'autre part, il est significatif qu'il n'ait fait dans toute l'Amérique qu'un seul vrai disciple parmi ceux de sa profession, soit le Dr Alcott, qui lui aussi avait renoncé à l'hydrothérapie. Cependant, même s'il ne fut jamais bien compris, Jennings eut durant sa vie une influence notable sur le Dr Jackson. Après sa mort, Robert Walter, Page, Oswald et Tilden s'intéressèrent à ses travaux. Dans une large mesure, ces derniers partagèrent ses idées, mais malheureusement sans aller jusqu'à se départir de leur foi en l'hydrothérapie ou dans le système Ling et autres procédés du même ordre.

Bref, l'étudiant qui veut connaître la genèse de l'hygiénisme doit s'armer d'un pénétrant esprit critique doublé d'une intuition de détective s'il ne veut pas courir le risque de s'égarer dans le labyrinthe des opinions contradictoires qui foisonnent dans les écrits des pionniers. Il lui faut savoir que la somme des connaissances en hygiénisme s'est considérablement accrue depuis cette période relativement récente des débuts et que cette « re-connaissance » (le terme est vraiment justifié) fut précédée, au début du siècle, d'une période statique, à tel point codifiée que l'hygiénisme fut près d'étouffer sous l'amoncellement des théories, procédés et recettes qui recouvraient sa vérité profonde et attentaient à son unité.

Ce fut Herbert M. Shelton qui entreprit la tâche colossale de séparer l'authentique de ce qui ne l'était pas dans le fatras des thérapeutiques multiples. Il remit en lumière ce trésor trop longtemps enfoui, qui apparut alors (tout comme aujourd'hui encore) trop éblouissant dans son authenticité aux yeux des praticiens des diverses écoles de guérison.

« J'ignorais moi-même, de dire Shelton, ce que je cherchais et où mes recherches me conduiraient. Au début, il me semblait que j'essayais de retrouver les principes-clés du naturisme. Je n'étais encore que simple collégien quand je me mis à l'œuvre, donc quelques années avant la première guerre mondiale, et je n'ai pas lâché depuis. Mais cette tâche est encore loin d'être achevée. Longtemps j'ai travaillé seul. A cette époque, j'essayais, mais en vain, de faire profiter les naturistes de mes découvertes. Lorsque enfin je me rendis compte que l'hygiénisme n'avait rien de commun avec le naturisme, je me donnai la mission de former des hygiénistes hors des cadres du naturisme et de former ainsi un mouvement indépendant. »

Pour que l'hygiénisme renaisse et démontre son authenticité, il fallait l'apport d'un esprit de synthèse puissant, capable d'une vision à la fois audacieuse et créatrice. Il s'agissait en somme de redécouvrir la source de ce nouvel art et de cette science, en balayant les élucubrations empiriques que léguait le passé, et de résoudre le problème vital d'une humanité souffrante et maintenue dans l'angoisse par ignorance des vraies causes de ses maux.

Herbert M. Shelton ne peut s'empêcher de sourire en pensant à ses rêves de jeunesse, alors qu'il projetait de rassembler autour de la même table, pour les faire œuvrer ensemble au service de la même vérité, des naturopathes aussi célèbres que Lust, Lindhlar, Mour et Mac Fadden. Comme s'il était possible de concilier de telles divergences de vues, de telles croyances et tant de procédés divers et d'aboutir ainsi à un seul plan d'action :

Lorsqu'il eut compris qu'il était impossible de réaliser cet idéal, le Dr Shelton décida d'entreprendre la tâche seul. Avant que d'aborder le travail de synthèse, il vit clairement la nécessité de procéder d'abord à un choix judicieux des éléments à conserver, puis à l'élimination progressive des autres. Labeur ardu, pénible, et grandiose tout à la fois. Avec courage, il y a consacré sa vie. Aujourd'hui, dans le bel enthousiasme de son allègre vieillesse, — il est né en 1895 — il persévère, avec plus d'ardeur que jamais et en dépit de tous les obstacles, dans cette voie qu'il a tracée lui-même. Les obstacles qu'il eut à vaincre, les persécutions qu'il eut à endurer de la part du corps médical n'eurent en fait d'autre résultat que celui de le stimuler davantage dans la poursuite de son projet.

L'œuvre du Dr Shelton est une réussite d'une portée considérable. Synthèse magnifique des concepts fondamentaux découverts par Graham, Jennings et Trall, qu'elle prolonge et achève par une analyse pénétrante des diversités de leurs systèmes comme aussi de leurs points communs. Ce faisceau d'opinions, Shelton l'a « repensé » et en a fait une somme unique d'une logique irréfutable.

La nécessité de cette tâche s'imposait longtemps avant que Shelton l'entreprenne. Mais elle représentait un travail gigantesque; c'est sans doute ce qui retint ceux-là mêmes qui auraient pu l'amorcer. Or, en plus du courage, il fallait aussi une honnêteté scrupuleuse. Grâce à une rare détermination et à une énergie créatrice qui méritent notre reconnaissance et notre admiration, Shelton a su redonner à l'hygiénisme sa pureté et son dynamisme. Il n'est que de comparer ses écrits à ceux d'auteurs actuels pour constater que sa synthèse et son application apportent une contribution capitale à la cause de l'hygiénisme.

Cependant, Herbert Shelton ne se dit pas encore satisfait. Il ne cesse de répéter qu'il reste beaucoup à apprendre, des vérités à découvrir, des erreurs à dépister, des principes à développer, des expériences à parfaire. Il insiste sur le fait que l'hygiénisme est un art et une science en pleine évolution, et que nous ne devons pas nous contenter des résultats acquis, aussi considérables qu'ils puissent paraître. Il nous faut creuser toujours davantage dans le sens de la vérité, chercher de nouvelles connaissances et acquérir plus de compétence dans l'application de notre savoir.

Trall l'avait dit de ses successeurs, et Shelton le redit de ceux qui viennent : « Ils auront à parfaire ce que nous avons commencé. Nous avons défriché, nous leur avons montré la voie à suivre, nous avons comblé bien des lacunes; ils ont la mission de repérer d'autres lacunes, de les combler à leur tour et de poursuivre ce travail de première importance qui consiste à éliminer les erreurs jusqu'à ce que l'hygiénisme, cette science véritable de la santé, devienne aussi infaillible et exacte que l'arithmétique ».

Les hygiénistes en général n'ignorent pas ce qu'ils doivent à Shelton et à son œuvre. Nombre d'entre eux reconnaissent sa singulière autorité, s'adressent à lui et lui témoignent une gratitude sans équivoque. Plusieurs mêmes considèrent Shelton comme un génie. Quel contraste avec l'opinion qu'a de lui le corps médical ! Mais il s'en trouve quand même un certain nombre qui voudraient le discréditer en s'arrogeant le mérite de résultats acquis par le maître. Une recherche sommaire suffira au lecteur averti pour se rendre compte que parmi ceux qui se prétendent les créateurs de cette œuvre de synthèse aucun n'y a jamais contribué. J'ai moi-même tenté à maintes reprises de découvrir dans quelle mesure ils avaient pu y collaborer, mais cela m'a été impossible, et pour cause. Au contraire, ceux qui ont fréquenté les ouvrages des pionniers de l'hygiénisme savent à quel point de perfection Shelton a poussé l'application de nombreux principes laissés à l'état embryonnaire par ses devanciers.

Dr Virginia VETRANO, D.C.

(Traduit de « *Dr Shelton's Hygienic Review* »)

APPENDICE II

« COMPRIMES » HYGIENISTES

1. La première règle de la santé — probablement la plus difficile à maîtriser — est de ne manger que si on a vraiment faim et de ne jamais manger à satiété. Notre gloutonnerie, congénitale pour ainsi dire, nous empêche de connaître la véritable sensation de faim, agréable en elle-même, qu'on ne peut retrouver pour l'ordinaire qu'après un jeûne prolongé ou à la suite d'une longue période d'adaptation.

2. Ne pas confondre faim et appétit. On peut avoir un appétit de loup et souffrir de névrose gastrique, ce qui amène à manger à toute heure du jour et de la nuit et à se gaver des aliments les plus malsains, comme si l'estomac était une poubelle. Seule la vraie faim nous fait apprécier les subtiles saveurs des aliments vivants.

3. La sensation de faim n'est pas localisée dans l'estomac, mais dans le nez, la bouche et la gorge. Elle n'engendre aucun mal de tête, aucune détresse gastrique, mais plutôt un profond bien-être général. Elle ne réclame pas de grandes quantités de nourriture, sans égard à

la qualité, mais s'accommode plutôt d'une certaine variété, non au même repas, mais d'un repas à l'autre, compte tenu des saisons. Ne mangez qu'aux repas, suivant la faim et votre aptitude du moment à digérer; cherchez à connaître la quantité minimum d'aliments avec laquelle vous pouvez vivre normalement.

4. Si vous êtes fatigué, préoccupé, si vous avez du chagrin, de gros ennuis, ne mangez rien. Pour se poursuivre bien, la digestion exige le calme, la gaîté, le repos. Ménagez-vous des repas-repos et des repos-repas. Qui dort dîne.

5. Cultivez la patience, la pondération, le sang-froid, le calme. Evitez les mauvaises fréquentations, les mauvaises lectures, les mauvaises influences. Fuyez les jeux de hasard : cartes, courses, spéculation, etc. Soyez honnête. Ne mentez jamais. Cherchez en tout la vérité.

6. La nourriture idéale de l'homme est celle du singe anthropoïde, dont la constitution anatomique est semblable à la nôtre. Cette nourriture consiste en fruits frais et noix diverses, avec l'adjonction de pousses vertes et de racines. Et c'est tout.

7. Cultivez votre instinct. Recherchez le fruit mûr, parfumé, de saison, manifestement non traité, ainsi que la salade ou le légume poussé sans engrais chimique, en culture biologique. Si possible, ayez votre propre jardin.

8. Bannissez de vos placards de cuisine tous les aliments tentateurs et de fabrication industrielle. Lavez salade et légumes très rapidement, gardez-les entiers, mangez-les, si possible, dans cet état. Si vous les hachez, faites-le au moment de manger, et sans raffinement.

9. Profitez de vos défaillances alimentaires occasionnelles pour en observer les effets sur votre digestion, sur votre

comportement général et vos sensations. En regardant vos selles, remarquez les aliments non digérés, etc. Après un écart, omettez le repas suivant : jeûnez. L'homme malade persiste à s'alimenter pour se « soutenir ». Le chien malade, lui, ne mange pas : il jeûne.

10. Apprenez à interpréter correctement le langage de vos sensations. Elles sont vos guides normaux dans la vie. En négligeant de les écouter ou en les interprétant mal, vous vous exposez à de nombreux dérangements.

11. Quand on rejette un régime malsain pour adopter une alimentation saine, on ressent d'habitude des crises de désintoxication. Véritables maladies. Il ne faut pas s'en inquiéter. Ces crises peuvent se produire après quelques semaines ou quelques mois, et font le plus grand bien à l'organisme.

12. La destruction des cellules malades et la création de nouvelles cellules orthotophiques constituent un travail de régénération qui demande un certain temps. Sachez attendre le renouvellement de vos cellules. Patience. Prudence. « Tout par évolution, rien par révolution », voila la sagesse.

13. Ceux qui adoptent intégralement le mode de vie hygiéniste ont, en général, l'air très maigres. La perte de poids, même très rapide, est souvent un indice de vitalité, pourvu qu'on applique avec discernement le programme de soins hygiénistes. D'autre part, plus on a de livres de graisse à porter, moins on risque de les porter longtemps...

14. Le poids normal une fois atteint, on le garde aisément grâce aux soins hygiénistes bien appliqués et à une alimentation correcte, équilibrée. Les grands amaigris retrouvent la possibilité de prendre du poids. Mais pourquoi chercher anxieusement à retrouver son ancien poids s'il était excessif ?

15. Le régime de deux repas constitue sans doute la perfection (*midi* : fruits ; *soir* : un jour sur deux, repas amylacé ; le lendemain soir, repas de protéines ; mais le régime de trois repas proposé par Shelton (*matin* : fruits seulement ; *midi* : repas amylacé ; *soir* : repas de protides) s'est révélé le plus efficace, et n'importe qui peut le suivre, moyennant un peu de bonne volonté.

16. Abattez les difficultés méthodiquement ; ne passez à la suivante que si la précédente a été spirituellement acceptée : 1° correction graduelle du repas de fruits du matin ; 2° correction graduelle du repas farineux ; 3° correction du repas de protéines.

17. Le fruit aqueux, malgré sa valeur de premier plan, ne suffit pas à procurer au corps toutes les sources de vie indispensables.

18. Les verdures contiennent des sources de vie complémentaires ; on devrait en manger abondamment, au moins une fois par jour ; deux fois serait le mieux.

19. Les salades et légumes crus doivent constituer, en poids, les deux tiers ou les trois quarts d'un repas, le restant pouvant être, en période de transition, légèrement cuit. Les repas farineux et protéines ne devraient pas comporter plus de trois légumes différents.

20. Les céréales constituent une source de vie secondaire ; elles viennent après les aliments racines (carottes, navets, etc.). Une fois par jour, surtout si vous être maigre, vous pouvez sans inconvénient manger, au repas farineux, de deux à quatre tranches d'un pain de farine complète fraîchement moulue, qu'on a cuit au bois et avec du levain naturel.

21. Les condiments naturels, comme les huiles vierges de première pression à froid et les herbes fines, peuvent être utiles dans les débuts pour susciter l'émission enzymique nécessaire à une bonne digestion.

22. L'humanité met bien du temps à comprendre l'hygiénisme, dont la simplicité paraît complexe à des gens qui raisonnent selon l'état de leurs cellules altérées par la civilisation moderne.

23. Toute réforme commence par une compréhension et une conviction de l'esprit. Instruisez-vous. Tous les ouvrages de l'école hygiéniste sont à lire. Tirez-en des enseignements applicables à votre cas. Voyez-en le côté pratique et réaliste. Approfondissez sans cesse les sujets que vous croyez connaître. Vous aurez vraiment assimilé un principe hygiéniste quand votre esprit saura l'évoquer sous trente-cinq formes différentes.

24. Observez une grande discrétion. Ne parlez pas de vos projets de réforme à des incompétents dont les contre-suggestions risquent d'ébranler la fermeté et la continuité de vos résolutions. Gardez cependant le contact avec ceux qui vous entourent.

25. Ne discutez pas avec les ignorants. Souriez. Priez-les de ne pas insister. Ne gaspillez pas votre énergie en dénégations. Laissez dire et agissez de manière à éloigner les importuns : ils comprendront peut-être plus tard, s'ils sont intelligents. En attendant que vous ayez complété votre expérience personnelle, laissez les ignorants et les entêtés à leurs préjugés et superstitions. Poursuivez votre chemin.

26. Tout est lié, et la santé exige l'intégration équilibrée de chaque facteur naturel. Pour guérir et refaire un malade, il faut procurer, selon ses besoins, l'ensemble harmonieux des avantages qu'assurent non seulement l'air pur, l'eau fraîche, le soleil, la propreté, une nourriture saine, le repos, le sommeil, un exercice mesuré, mais encore le jeûne et la maîtrise des émotions. Cette synthèse exige d'ordinaire les conseils d'un hygiéniste compétent.

27. Plus vous étudierez l'hygiénisme, mieux vous constaterez qu'il enseigne les lois de la vie dans leur pureté et sur tous les plans. Il n'a rien de commun avec l'intérêt commercial : il ne « rapporte » pas. Mais vous pouvez en tirer merveilleusement parti pour votre équilibre et votre joie de vivre. Quand on a perdu le goût de la vie, la joie cellulaire du corps, on ne réagit plus comme il faut au conditionnement imposé par notre civilisation. Alors commence le vieillissement.

28. Il convient de viser la perfection. Mais avant d'y parvenir, il faut accepter d'abord de se voir imparfait, puis moins imparfait, légèrement parfait, et ainsi de suite. Vous passerez par des périodes de doute et de découragement difficilement évitables. L'incompréhension de l'entourage immédiat et du milieu social peut vous entraîner à des défaillances. Sachez surmonter les obstacles et les fatigues en ne perdant jamais de vue le résultat final : le rajeunissement. « Non pas tant ajouter des années à la vie que de la vie aux années. » (Dr Alexis Carrel.)

29. Devrez-vous garder ce mode de vie jusqu'à votre mort ? OUI. A moins que vous ne deveniez las de vivre en bonne santé. Alors, revenez à vos anciennes manies, et réapparaîtra sans tarder le cortège de vos anciens malaises.

⁂

CITATIONS

LA GRANDE PEUR DES BIENS PANSUS...

Trois grandes peurs conditionnent la conduite des hommes : la peur de « manquer », la peur du qu'en dira-t-on et la peur de mourir. Un certain assoupissement spirituel empêche l'homme de penser à la mort comme il le faudrait. On se préserve tant bien que mal du qu'en dira-t-on par le mensonge et le déguisement. Mais la peur de « manquer » terrorise littéralement. Gavé, bourré à mort, éreinté par des labeurs digestifs insensés, ses canaux bouchés au point qu'aucune vie n'y peut circuler librement, notre civilisé suralimenté — véritable poubelle vivante — tremble encore de « manquer », de se voir affaibli, d'être sous-alimenté, de pâtir gravement. La plus laide des frousses est sans doute celle-là, et c'est la plus tenace. Quelle faiblesse !

Nil Hahoutoff.

⁂

« L'expérience alimentaire que l'humanité fait actuellement sur le plan mondial n'est encore qu'un jeu qui mène à la dégénérescence. Bientôt, ce sera un jeu qui mènera à la mort. La pauvreté de l'alimentation en éléments vitaux et l'accroissement de la gourmandise provoquent une exaltation du besoin de manger. L'homme civilisé mange quantitativement de trois à cinq fois plus qu'il n'en a besoin. L'appareil digestif n'est pas construit pour être constamment soumis à une telle surcharge. Déjà le malheureux enfant au biberon se voit imposer ce vice par ses chers parents. L'estomac et l'intestin se dilatent, s'épuisent, se constipent. L'appareil digestif, contraint à une très grande activité, tire à lui une importante partie du sang de l'organisme. Et c'est ainsi que le centre de gravité de l'être humain est tombé de sa tête dans son ventre et que le corps humain est devenu un sac à détritus.

« A cette tendance généralisée à l'obésité s'ajoute une sensibilité accrue aux maladies provoquées par une alimentation défectueuse, particulièrement à des maladies cardiaques, circulatoires, hépatiques, de la visicule biliaire, de la tension artérielle, de l'urée, à des maladies articulaires, goutte et rhumatisme, etc. La durée de la vie est en proportion inverse de l'état d'obésité du corps. Ainsi, sur dix hommes de trente ans, trois seulement atteindront l'âge de 80 ans s'ils demeurent minces, mais s'ils sont gras, un seulement y parviendra. Le diabète tue quatre fois plus de gras que de maigres. » (Günther SCHWAB, *La Danse avec le Diable.* Traduit de l'allemand par Jean Choisel. Le Courrier du Livre, Paris 1968.)

***

« Nous avons fait de l'homme un esclave aveuglément obéissant aux plaisirs de son palais. » (Schwab, *op., cit.*, p. 91.)

***

« Au cours d'expériences effectuées sur des animaux, on a constaté des perversions du goût chez des jeunes à la suite de carences vitaminiques auxquelles la mère avait été soumise. Cette même dégénérescence du goût a été constatée aux U.S.A. chez 19 % de la population ; on la remarque également chez 55 % des criminels, 70 % des épileptiques, 80 % des aliénés et chez 82 % des attardés mentaux. » (Schwab, *op., cit.*, p. 77.)

***

« Dans cette préoccupation d'un renouveau qui étreint tant d'esprits aujourd'hui, il nous paraît que l'on n'a pas encore accordé à la santé la place qu'il convenait.

« Les mots de réforme, de révolution, sont à l'ordre du jour. On parle quotidiennement de systèmes économiques, sociaux ou politiques nouveaux ou rénovés. On a tout dit sur la crise morale et spirituelle. On a beaucoup moins parlé des *conditions de la vie saine*, des *besoins essentiels* et pour tout dire de la *conduite du corporel*, inséparable d'ailleurs de celle du mental. »

(Dr Pierre Delore, M.D., *Notre Frère corps*, Editions M.-Th. Génin, Paris 1938, p. 11.)

⁂

— Docteur, je ne comprends rien. Je mange comme un oiseau... et je ne maigris pas.

— Comme un oiseau ? Oui, comme un vautour, sans doute...

⁂

Le poids n'est pas signe de santé. L'excès de graisse n'est pas un bouclier contre la maladie : il est la maladie elle-même.

J. C. Thomson.

⁂

De toutes les tâches quotidiennes, la digestion et l'assimilation des aliments sont celles qui exigent la plus grande dépense d'énergie nerveuse. C'est pourquoi il est bon de manquer occasionnellement un repas. Reposez-vous d'abord et mangez ensuite. Cette bienfaisante maîtrise personnelle peut s'acquérir avec une facilité étonnante.

J. C. Thomson.

⁂

L'alimentation et le repos constituent l'essentiel du problème de la santé. La discipline alimentaire qui mesure la quantité de la nourriture et respecte les lois de la combinaison des aliments, voilà le moyen sûr et pratique d'acquérir la maîtrise de soi et de prévenir la maladie.

Dr George Weger.

⁂

Le jeûne n'altère pas la santé, il l'entretient et la conserve. Le jeûne fut inventé par toutes les religions dans un but d'hygiène, pour reposer les organes digestifs. Celui qui s'y soustrait commet une faute grave. Les personnes affaiblies qui demandent aux prêtres l'autorisation de s'abstenir du jeûne religieux commettent une faute, car si la suralimentation est acceptable (?) chez l'individu bien portant, elle est nuisible chez le sujet malade. Les malades doivent jeûner plus que les sujets bien portants ; c'est pour eux que le jeûne a été inventé ; tout obèse doit jeûner.

Dr Victor Pauchet.

***

La nature est le plus admirable des médecins. Elle guérit les trois-quarts des maladies et elle ne dit jamais du mal de ses confrères...

Galien.

***

Il ne faut que demeurer en repos ; la nature, d'elle-même, quand nous la laissons faire, se tire doucement du désordre où elle est tombée. C'est notre inquiétude, c'est notre impatience qui gâte tout ; et presque tous les hommes meurent de leurs remèdes et non de leurs maladies.

Molière.

***

Les exigences du sens génésique sont impérieuses, mais on en finirait vite avec elles si l'on s'en tenait à la nature.

Henri Bergson.

***

Un jour, raconte Chamfort, un médecin de village allait visiter un malade au village voisin. Il prit avec lui un fusil pour chasser en chemin et se désennuyer. Un paysan le rencontra et lui demanda où il allait : « Voir un malade. — Avez-vous peur de le manquer ? »

***

Deux grands chirurgiens venaient d'aller sur le terrain. « Ils veulent absolument s'entretuer », déclarait-on à Tristan Bernard. — « Ces médecins, dit Tristan, voilà que nous ne leur suffisons plus ! »

***

Le médecin X arrive à l'entrée du paradis, la grande entrée, celle où des anges flamboyants montent une garde vigilante.

— Quelle est ta profession ? demande saint Pierre.

— Médecin.

— Médecin ! Alors, pas par cette porte-ci : par l'entrée des fournisseurs !

***

Le saint Curé d'Ars tomba un jour si gravement malade que son médecin crut son état désespéré et fit venir trois de ses confrères. Le saint ne perdit point sa présence d'esprit. Il en donna la preuve sur l'heure. En voyant toute la Faculté autour de son lit, il dit en riant : « Je soutiens en ce moment un grand combat. »

— Et contre qui donc, Monsieur le Curé ?

— Contre quatre médecins. S'il en vient un cinquième, je suis mort. »

***

Au professeur Milani qui proposait à Pie XI, gravement malade, de faire appeler un confrère en consultation, l'illustre pontife fit cette réponse qui dut combler d'aise les mânes de Molière : « Un médecin suffit amplement à tuer un malade. »

***

Comme Alexandre Dumas dînait chez le docteur Gastel, une des célébrités médicales du pays, le médecin le pria d'honorer son album d'un quatrain. Et Dumas écrivit, sous les yeux de son hôte qui le suivait du regard :

Depuis que le docteur Gastel
Soigne des familles entières,

On a démoli l'hôpital...

« Flatteur ! » dit le docteur en l'interrompant. Mais Dumas ajouta :

Et l'on a fait deux cimetières.

⁂

Le christianisme authentique affirme explicitement que tout ce qui a été créé est bon, venant de Dieu ; c'est corps et âme que l'homme est appelé à chanter la gloire de Dieu, d'où la possibilité, je devrais dire le devoir des catholiques d'assumer l'hygiénisme dans toute leur vie, selon l'esprit de saint Françoise d'Assise, les conviant à faire participer toute la création à un chant d'action de grâces envers le Créateur.

Abbé G.

⁂

Dans *Le feuilleton* XLIX (Œuv. div., t. I, p. 444), Balzac écrit :

« ... Son prêtre catholique voit bien le mal, et cherche même à le réparer ; mais jamais il ne pense à le prévenir, jamais il n'a l'idée de remonter un peu plus haut pour en trouver la cause et tâcher de la détruire ; en un mot il fait ce que les médecins appellent la médecine du symptôme ; et ce n'est pas ce qu'il faut aujourd'hui à la société : pour la guérir, il faut des hygiénistes. »

⁂

« L'ignorance du retentissement immédiat ou lointain que peut avoir l'alimentation sur la santé du corps et de l'âme, procure une grande sérénité au nombre incalculable des indifférents et des veules, et ôte tout remords aux jouisseurs et aux épicuriens ; mais elle est pernicieuse pour ceux qui tiennent à leur élévation spirituelle et morale. »

(Dr Casabianca, M.D., *Spiritualité et alimentation. Influence du régime alimentaire sur le comportement moral et physique.* Spes, Paris, 1954.)

⁂

« Il y a des incompatibilités alimentaires comme il y a des incompatibilités chimiques ; et il est malheureux qu'on n'ait pas étudié les premières aussi bien que les secondes. » (Dr Casabianca, *loc. cit.*)

***

« Cette question des mélanges alimentaires est d'ailleurs encore dans l'enfance. En effet, nous commençons à bien connaître les influences fâcheuses que peuvent susciter deux aliments, l'un par rapport à l'autre ; mais la question devient plus complexe lorsque dans un repas, nous mélangeons en proportions diverses cinq ou six aliments différents. Les combinaisons possibles sont tellement nombreuses qu'il nous sera souvent difficile de savoir quel est l'aliment perturbateur.

« La conclusion de cette brève étude, c'est que nous éviterons beaucoup de troubles digestifs en mangeant simplement. Certes, les travaux des physiologistes nous montrent l'intérêt de la variété alimentaire pour subvenir aux besoins de l'organisme ; mais il n'est pas nécessaire de réaliser cette variété en une seule journée et encore moins en un seul repas. » (Dr H. GAEHLINGER, M.D., *Luttez contre les fermentations digestives*. 4e éd., J. Oliven, Paris, 1961.)

Appendice III

RENSEIGNEMENTS DIVERS

A) Adresses :

On peut obtenir la liste des ouvrages hygiénistes et autres renseignements utiles en s'adressant aux organismes que voici :

1. Secrétariat de La Nouvelle Hygiène
   21, rue de Seine, Paris (6e), France.
2. The Secretery
   Kingston Clinic
   Edinburg 9, Great Britain.
3. Dr. Herbert M. Shelton,
   P.O. Box 1277, San Antonio, Texas 78295, U.S.A.
4. The American Natural Hygiene Society
   (205 W. Wacker Drive)
   P.O. Box 4412, Chicago, Illinois 60606, U.S.A.
5. Société d'Hygiène Naturelle du Grand Montréal, 2701, rue Dumont, Mascouche, Québec, J7K 1R3 (Canada)
6. Pural (livres hygiénistes)
   7494 St-Hubert
   Montréal 328 (Etat du Québec)
7. On peut faire retrouver et obtenir les plus anciens manuscrits des maîtres hygiénistes des XIXe et XXe siècles en s'adressant à :
   Healt Research
   70 Lafayette St.
   Mokelumne Hill, California 95245, U.S.A.
8. Ceux qui habitent l'Amérique du Nord peuvent
   a) se procurer une liste des marchands qui cultivent fruits et légumes organiquement et biologiquement aux États-Unis, en envoyant la modique somme de 10 cents en monnaie américaine à Organic Food and Farming, Emmaus, Pennsylvania, U.S.A.

b) s'abonner à *Natural Food and Farming,* revue officielle des associés de l'alimentation naturelle (« Natural Food Associates ») dont voici l'adresse :

N F A Bookstore, Atlanta, Texas, U.S.A.

9. En France : *Nature et Progrès,* Association européenne d'agriculture et d'hygiène biologiques, 2, ch. de la Bergerie, 91, Ste-Geneviève-des-Bois.

B) BIBLIOTHÈQUE HYGIÉNISTE :

Outres les articles publiés dans la revue *La Nouvelle Hygiène* (liste des N° disponibles sur demande), on aura profit à assimiler graduellement les œuvres du Dr H. M. Shelton et les ouvrages de la même collection :

Dr H. M. Shelton

Le Jeûne (Une œuvre importante sur tous les aspects théoriques et pratiques du jeûne).

Les Combinaisons alimentaires et votre santé (La clé d'une bonne digestion par la pratique de l'alimentation dissociée.

Tumeurs et cancers.

La Santé sans médicaments.

A. Mosséri

La Santé par la nourriture (L'art de se nourrir pour se fortifier ; nouvelle édition complétée).

La Nourriture idéale et les combinaisons simplifiées (Une suite à *La Santé par la nourriture.*

J. Rialland

Guéris-toi toi-même (jeûne, diètes, etc.).

Bonne santé par l'hygiène naturelle.

J. C. Thomson

Le Cœur (Signification des troubles cardiaques ; comment se rétablir par les soins hygiénistes chez soi).

Sauvez vos cheveux (Pour obtenir une belle chevelure).

Dr J. H. Tilden

Toxémie et désintoxication

N. B. Ces ouvrages sont édités par « Le Courrier du Livre », 21, rue de Seine, 75006 Paris. Liste complète sur simple demande.

C) LIVRES DIVERS (mentionnés à titre documentaire)

Claude Aubert

Le Jardin potager biologique (Un bon manuel de jardinage sans chimie).

L'Agriculture biologique. Pourquoi et comment la pratiquer.

Soignons la terre pour guérir les hommes, ou l'agriculture, clé de notre santé.

Alwin Seifert

Cultivons notre terre sans poisons, ou l'art du compostage.

H. P. Rusch

La Fécondité du sol.

Dr G. Guierre

Petite encyclopédie des fruits.

Alimentation et diététique dans la vie moderne.

Dr E. H. Dewey

Le Jeûne qui guérit.

G. Schwab

La Danse avec le diable.

La Cuisine du diable.

Les Dernières cartes du diable.

— Catalogue envoyé sur simple demande —

ACHEVÉ D'IMPRIMER LE 4 JUIN 1985 SUR LES PRESSES
DE JUGAIN IMPRIMEUR S.A. A ALENÇON
POUR LE COMPTE
DES ÉDITIONS « LE COURRIER DU LIVRE » A PARIS

DÉPÔT LÉGAL : JUIN 1985